En las orillas del Sar

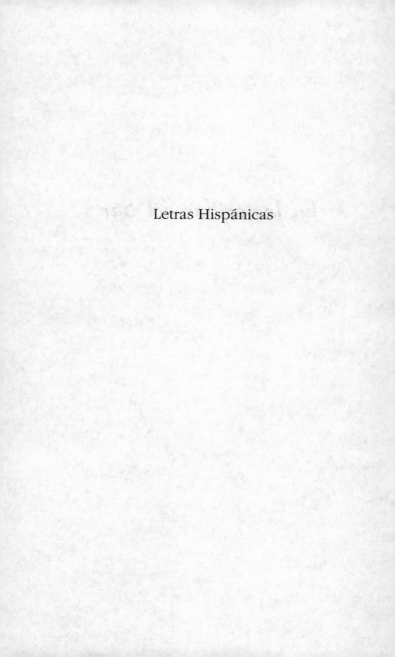

Letras Hispánicas

Rosalía de Castro

En las orillas del Sar

Edición de Xesús Alonso Montero

TERCERA EDICIÓN

CÁTEDRA

LETRAS HISPANICAS

Ilustración de cubierta:
Paisaxe con vacas
(detalle), de Manuel Colmeiro

© Ediciones Cátedra, S. A., 1994
Juan Ignacio Luca de Tena, 15. 28027 Madrid
Depósito legal: M. 22.272-1994
ISBN: 84-376-0566-0
Printed in Spain
Impreso en Gráficas Rogar, S. A.
Pol. Ind. Cobo Calleja. Fuenlabrada (Madrid)

46695

Índice

Introducción

OBRAS COMPLETAS

DE

ROSALÍA DE CASTRO

I

EN LAS ORILLAS DEL SAR

PRÓLOGO DE

MANUEL MURGUÍA

MADRID

LIBRERÍA DE LOS SUCESORES DE HERNANDO

Calle del Arenal, 11.

--

1909

Portada de la segunda edición, en *Obras Completas,* con prólogo
del marido de la autora.

Dedico este trabajo rosaliano a dos versos de
En las orillas del Sar:

«Yo prefiero a ese brillo de un instante
la triste soledad donde batallo.»

(97, 5-6)

La poesía de Rosalía de Castro

1. ACERCAMIENTO

Frágil y profunda, sombra y luz, Rosalía transitó por
la vida, con palabras, ya de revelación, ya de misterio,
por caminos siempre adversos. Vivía en un país sin voz
propia, y fue ella la primera, con entidad, en encontrar
el nombre de las cosas, el nombre no escrito de nuestras cosas.

Acontecía esta prodigiosa invención en 1863, el año
de aquel libro auroral y reivindicativo que se titula
Cantares gallegos. Cantó la alondra, y ya todo fue
distinto.

Era Galicia entonces un país totalmente analfabeto
en su idioma, pero, aun así, los versos gallegos de la
cantora muy pronto fueron citados, amados, recitados
y recordados. Gentes muy diversas de nuestra tierra, las
humildes en primer lugar, intuyeron la grandeza y la
belleza de la hazaña: un poeta *mujer,* una mujer *huérfana* en la niñez, una mujer de poca salud y agobiada
por las penas, asume, sin pedantería, como el que res-
pira, la defensa y la canción del marginado y postrado
país. Algún tiempo después, la gratitud y la devoción
de las gentes esbozaban el comienzo de un mito.

11

Y aquella voz primaveral y orientadora, años más tarde, en 1880, se sumerge, en el libro *Follas Novas,* en estratos esenciales del ser humano, que son los estratos de los grandes desasosiegos, del drama profundo y de la grave condición de los grandes espíritus. Sin embargo, en las páginas no atormentadas por aquella peculiar angustia existencial, Rosalía, cálida musa solidaria, canta algunas de las heridas históricas de su país, en especial el dolor y la dura soledad «de las viudas de los vivos y de las viudas de los muertos», como ella dijo en inmortal expresión.

Poeta con varios poetas dentro, escritora de expresión no siempre cabal, inspiración rica en registros, musa polifacética, espíritu torturado, voz reveladora en tantas ocasiones, ya en la antesala de la muerte publica el libro *En las orillas del Sar,* que es un tratado de desolación. Nadie hasta estas fechas se había asomado, en ninguna de las lenguas hispánicas, a territorios tan graves del espíritu humano.

2. DOS LIBROS MENORES, «MA NON TROPPO»

Son muchos los que creen que la obra poética de Rosalía se reduce a tres libros, dos en gallego (*Cantares gallegos,* 1863; *Follas novas,* 1880), y uno en castellano (*En las orillas del Sar,* 1884). Son, ciertamente, sus tres grandes títulos, si bien Rosalía de Castro publicó, además de algunos poemas dispersos, dos libros más, dos breves libros, *La flor* y *A mi padre,* que jamás competirán con aquéllos, pero que urge reconsiderar.

La flor (1857), el primer libro de esta poetisa de veinte años, suscitaba hace poco una caracterización y una valoración de Gonzalo Corona Marzol, que ya habrá que tener totalmente en cuenta. Lejos de considerarla una «obra marginal y primeriza», son páginas en las que «se explican una serie de hechos característicos de la poesía que se escribirá en adelante: el fatalismo de los «tristes», la fusión del «amor» y el «dolor»,

algunas características de la «sombra» y el pesimismo...».
También el profesor Corona Marzol reivindica *A mi padre* (1863), breve opúsculo poético cuyo valor va más allá del testimonio elegiaco.

Porque el estudioso ha de esforzarse en leer la obra poética de un autor como un *discurso,* ese *discurrir* literario en el que el escritor, sin dejar de ser el mismo, con frecuencia no es lo mismo. En Rosalía, desde *La flor,* libro de sus veinte años (1857), a *En las orillas del Sar,* volumen publicado cuando ya la autora estaba próxima a su fin (1884), el lector, el estudioso tendrá que detectar distintas actitudes, distintos modos, distintas voces...

Autora Rosalía de Castro de relatos y novelas, una de muy original hechura *(El caballero de las botas azules),* estamos ante una escritora que sólo en el verso, en el poema, ha encontrado la plenitud, la realización cabal. Pudiera sugerirse que la prosa de sus narraciones no traduce su personal tensión y su instalación más radical. Lo contrario de Cervantes, la poesía, que suele ser el universo de la palabra densa e intensa, expresa sus mejores voces: la más suya y la de sus más interesantes «heterónimos».

3. «CANTARES GALLEGOS», 1863: CANTÓ LA ALONDRA

Es su primer libro en lengua gallega y, en cierto modo, el primer libro en gallego de nuestra literatura moderna. Así pues, una lengua «inculta», no cultivada literariamente durante cinco siglos, se convierte, en mayo de 1863, en lengua escrita e impresa y en lengua de arte. Una lengua así, no estimada incluso por muchos de sus hablantes, es decir, con todas las características, en grado superlativo, de una lengua B, releva, en esa primavera de 1863, al castellano, que era, desde hacía siglos, expresión, signo y símbolo de poder, cultura, riqueza y «modernidad».

Por tratarse de una lengua B, en la peculiar situación

diglósica de Galicia, el relevo tenía que producirse donde se produjo: en la parcela del costumbrismo, del folklore y de lo popular. En efecto, lo popular, lo folklórico y lo costumbrista caracterizan casi todas las páginas de este volumen, páginas que son, a la vez (y aquí el talento y la revelación del libro), una definición y una defensa de «nuestras señas de identidad» (para decirlo con una expresión de hoy). Como la palabra del poeta (ya lo aseveraba Aristóteles) es más esencial, más verdadera, que la del historiador, los versos de Rosalía, más oídos que leídos por un pueblo de analfabetos en su propio idioma, incidieron más en la conciencia y en la concienciación de los gallegos que las páginas de los catedráticos, los periodistas y los políticos, muchos de ellos más cultos que Rosalía y algunos más «conscientes» de la necesidad de la restauración cultural (y política, por tanto) de Galicia. Rosalía de Castro llevaba esa canción en su garganta, una canción que no estaba, en su garganta de poetisa auténtica, programada, aunque resultase después, a su modo, programática.

En *Cantares gallegos,* siendo pocos, son muy significativos los poemas *contra:* contra los castellanos (que tratan mal a los [segadores] gallegos) y contra España (que desestima y margina a Galicia). Libro, pues, de afirmación (en cuanto libro folk que define y enfatiza las señas de identidad) y, a la vez, libro de contestación, libro que se opone a la dura leyenda negra, ya secular, sobre Galicia. Fue el canto de una «mujer» (en un tiempo en que las «literatas» provocaban ironías) pródiga en importantes precariedades: de poca salud, sin buena economía, carente de dichas tangibles, de problemática hermosura y sin apellido paterno. Esta voz, instalada en una persona y en una biografía pobladas de marginaciones, se convirtió, en 1863, en voz de una colectividad histórico-cultural, de sus gentes (las populares, sobre todo) y de su humilde y humillada lengua. El pueblo entendió bien las afinidades entre el país y su intérprete.

14

En mayo de 1863 cantó la alondra, y, desde entonces, en Galicia ya todo fue distinto.

4. «FOLLAS NOVAS», 1880: EN EL BOSQUE DE ROSALÍA

Volumen que consta de cinco breves libros, hay en él, con frecuencia, dos musas: la solitaria (Rosalía se sumerge en «el fondo sin fondo de su pensamiento») y la solidaria, una ciudadana, apenas sofisticada por lecturas sociológicas, que exhala su queja ante los humillados y ofendidos de su tierra y de su tiempo, especialmente ante «as viudas dos vivos e as viudas dos mortos», que así se titula el último de los cinco poemarios que componen este volumen.

Como poetisa posee más dimensiones y registros que Bécquer, y como exploradora de su intimidad suele viajar a estratos de desazón y de radical esencialidad que recuerdan más a Antero de Quental, que se suicidaba por esos años, que al autor de las *Rimas*.

No cantó Rosalía las «pombas» (palomas) y las «frores» (flores), como ciertas poetisas al uso, tal como afirma en un revelador poema autoestético. Ella era consciente de que cantaba en la noche sin dioses, de que el suyo era «outro cantar»: era, en efecto, un «poeta en tiempo menesteroso», para decirlo con palabras de Hölderlin, que Celestino F. de la Vega, en su luminoso ensayo de 1952, aplicó, con acierto y eficacia, a la poesía de Rosalía de Castro.

Por primera vez la poesía metafísica hablaba en gallego, hazaña que entonces parecía inalcanzable en esta accidentada lengua. Otras modalidades hablaban por primera vez en este «volgare» tan poco ilustre, sin excluir el lirismo mágico-trágico de aquel extraordinario poema que empieza:

> Teño medo dunha cousa
> (Tengo miedo de una cosa)
> que vive e que non se ve
> (que vive y que no se ve).

5. «EN LAS ORILLAS DEL SAR», 1884: DESOLACIÓN, «MANIPULACIÓN» Y AUTENTICIDAD

No hay un libro tan desolado, tan desesperanzado en la poesía peninsular del XIX. Rosalía apenas tiene ojos para Galicia y sus dramas. Lo que predomina y avasalla en este volumen es el espíritu torturado o angustiado de la autora, que habla siempre en su voz, desde su más radical voz; un espíritu tan desazonado que existen versos que son la expresión de la condición desesperanzada y trágica de la existencia. Las páginas de este libro, de título tan bucólico, apuntan, respecto del mundo, a «los yermos de la vida» y, respecto del más allá, a «las llanadas del vacío». Tales páginas, tan inconvencionales, fueron, en parte, «manipuladas» por el marido de la escritora, el polígrafo gallego Manuel Murguía, quien en la segunda edición del volumen (la de 1909) fue capaz de reescribir un verso así:

¿Por qué, *aunque haya* Dios, vence el infierno?

¿Por qué, *ya que hay* Dios, vence el infierno?

Basta, sin duda, como muestra, pero sépase que hay manipulaciones, respecto de la cuestión teológica, muy superiores.

6. LENGUA Y GÉNERO

Rosalía, mejor instalada en castellano que en gallego para la narrativa, no era inauténtica en castellano cuando en este idioma escribió los versos que escribió. Poetisa bilingüe, es, por su expresión, una de las grandes voces de la lírica castellana de todos los tiempos, hecho reconocido, hace tiempo, por exigentes lectores extragallegos como Unamuno, Azorín, Enrique Díez-Canedo, Luis

Cernuda y Dámaso Alonso, entre otros. Hoy, su obra reveladora y desasosegante interesa muy seriamente en ámbitos muy distintos y distantes a los nuestros. Todo hace suponer que el actual «Congreso Internacional sobre Rosalía de Castro y su tiempo» definirá con precisión el perfil de esta voz extraordinaria.

Estudio de *En las orillas del Sar*

1. «EN LAS ORILLAS DEL SAR»: «PREHISTORIA» DEL
   LIBRO, PROBLEMÁTICA TEXTUAL, LA «MANIPULACIÓN»
   DE MURGUÍA, ALGUNAS EDICIONES...

1.1. *La primera edición (1884)*

El volumen de 1884 fue impreso en Madrid en el
Establecimiento Tipográfico de Ricardo Fe. Consta de
noventa y ocho poemas, alguno de los cuales, en su
cabecera, está ilustrado por un breve motivo. Este poema empieza siempre con una letra, la primera del primer verso, diseñada artísticamente.

Un excelente conocedor de la poesía española de la
segunda mitad del siglo XIX, José M.ª de Cosío, reac-
cionó, ante este volumen, así:

> Es un libro complejo de carácter... y creo que le ha
> perjudicado el absoluto desorden en que aparecen las
> composiciones que lo forman. No creo que quepa libro
> peor compuesto. Da la impresión de que se iban en-
> tregando las poesías a la imprenta en el orden en que
> iban saliendo de algún revuelto cajón. Ningún criterio
> ordenador puede adivinarse... [1].

---

[1] *Cincuenta años...*, pág. 1054.

Cabe sospechar, sin embargo, que los breves dibujos encabezan, en algunos casos, «capítulos» de cierta unidad temática o emocional.

Sabemos, sí, que Rosalía, a principios de 1884, estaba enferma, muy enferma, y que el libro fue organizado, sin duda con la ayuda de Murguía, en circunstancias muy poco favorables. Incluso es lícito pensar que fue Murguía, solo, quien preparó el volumen [2]. Sépase, además, que este volumen carece de prólogo, dedicatoria y cualquier otro texto que no sean los poemas.

1.2. «Prehistoria» del libro

En el ejemplar del escritor Manuel Barros estampa Rosalía de Castro estas palabras:

> Nadie más que usted tiene derecho a la dedicatoria de este libro. Sin *La Nación Española* tal vez no se hubiese escrito. Reciba usted, pues, el presente ejemplar como una prueba de sincero agradecimiento de su affma...

El propio Barros nos comunica esta precisión:

> En aquellos días había salido a luz un volumen en que bajo el título *En las orillas del Sar* había reunido las preciosas composiciones poéticas que por encargo mío escribió para mi diario *La Nación Española*... [3].

Tan interesante noticia no fue explotada debidamente, y hay que llegar a 1978 para que Ricardo Palmás, ins-

---

[2] En una carta puntualiza: Tras la publicación de *Follas Novas* (1880) Rosalía «no se ocupó de otra cosa que del cuidado de sus hijos, y sólo remitió a un periódico de Buenos Aires, de que era propietario un hijo de Padrón, la mayoría de sus composiciones en castellano, que reuní en volumen impreso en Madrid, 18..., dos años después». Esta carta fue exhumada por Juan Naya Pérez (*vid*. «Murguía y su obra poética», *Boletín de la Real Academia Gallega*, núms. 289-293, La Coruña, 1950).

[3] «Una visita...»

tado y orientado por Marina Mayoral, realice en Buenos Aires la pertinente indagación hemerográfica. El resultado puede verse en la edición que esta investigadora hizo de nuestro libro en ese año. Son veintidós los poemas encontrados en el diario bonaerense [4], publicados entre otcubre de 1882 y el 23 del mismo mes de 1883. Es muy probable que se publicasen más composiciones, ya que la profesora Mayoral no ha «podido encontrar los dos meses que faltan de ese año, ni los primeros de 1884, donde es casi seguro que se encontraran más poemas» [5].

Por las mismas fechas Rosalía publicaba, con el título *Penumbras,* nueve composiciones [6] en *La Ilustración Cantábrica* (1 de mayo de 1882), retocadas, como sucede con las publicadas en *La Nación Española,* en la edición de 1884. Unas y otras variantes se consignan en nota, por primera vez, en la edición de Marina Mayoral [7].

Todo hace suponer que este tratado de desolación está constituido, en buena parte, por poemas de sus últimos años, si bien se sabe desde hace tiempo que contiene algunas composiciones de fechas muy anteriores. Se puede precisar que «A la luna» es de 1867.

La noticia más desconcertante, aún hoy, sobre la génesis de este libro se la debemos, en 1916, a Augusto González Besada, uno de los primeros biógrafos de nuestra escritora:

> Las poesías castellanas de Rosalía, coleccionadas por la autora años después en el tomo *En las orillas del Sar,* habían visto en su mayor parte la luz pública en 1866, en el periódico *El Progreso,* de Pontevedra, en donde

---

[4] En nuestra edición con estos números: 1, 11, 12, 13, 14, 22, 23, 24, 29, 30, 31, 32, 33, 34, 35, 36, 37, 38, 53, 55, 56 y 63.
[5] Introducción a su edición, pág. 54.
[6] En nuestra edición con estos números: 2, 3, 4, 5, 6, 7, 8, 9 y 10.
[7] Quien por primera vez dio a conocer estas variantes fue F. R. Cordero Carrete en *Cuadernos de Estudios Gallegos,* 1958. Fue, sin embargo, la profesora Mayoral quien realizó el cotejo preciso en 1978.

Emilia Pardo Bazán, casi una niña a la sazón, publicó su primer cuento [8].

Nadie, ni siquiera el profesor Filgueira Valverde, tan vinculado a la hemerografía pontevedresa, ha verificado esta noticia, e incluso algunos estudiosos dudan de la existencia de este periódico. En esta cuestión apenas hemos avanzado un modesto paso, que debemos a Claude Poullain:

> ¡En 1866! ¡O sea, dieciocho años antes de la publicación de *En las orillas del Sar!* Es natural que algunos críticos se hayan negado a admitirlo; con todo, yo no creo que se trate de un error, pues he podido comprobar que el periódico de que habla González Besada existía, en efecto, en 1866. Además, esta afirmación no contradice lo que ya se sabe, pues es evidente que en su libro Rosalía ha reunido poemas que pertenecen a varias épocas de su vida [9].

1.3. *La segunda edición (1909): Manuel Murguía, «manipulador» literario*

Durante mucho tiempo, *En las orillas del Sar* fue leído, incluso por profesionales de la Literatura, en esta edición. Lamentablemente, y diremos por qué.

El responsable total de esta edición es Manuel Murguía, y estas son sus principales responsabilidades, algunas filológicamente muy graves.

I. Incorporación de once poemas

Nadie pone en duda la autoría de Rosalía de Castro, sin embargo, resulta atentatorio para la unidad (la que

---

[8] *Vid.* la nota 32 de su *Discurso* en la Real Academia Española, Madrid, 1916, pág. 32, que se reproduce al pie de la letra en su libro *Rosalía de Castro. Notas biográficas,* Madrid, Biblioteca Hispania, 1916 (?), pág. 103.

[9] *Rosalía de Castro...*, pág. 17.

sea) del libro de 1884 la presencia de estas composiciones, algunas literariamente muy valiosas. ¿Por qué Murguía, preparador, en lo esencial, de la edición de 1884 no las tuvo en cuenta? Afirmemos, pues, que la que tiene carácter testamentario es ésta, no la de 1909.

II.   Estratégica colocación de ciertos poemas

Uno de ellos aparece como poema prologal. Leámoslo:

Aunque no alcancen gloria,
pensé, escribiendo libro tan pequeño,
son fáciles y breves mis canciones,
y acaso alcancen mi anhelado sueño.
Pues bien puede guardarlas la memoria
tal como, pese al tiempo y la distancia
y al fuego asolador de las pasiones,
sabe guardar las que aprendió en la infancia,
cortas, pero fervientes oraciones.
Por eso son, aunque no alcancen gloria,
tan fáciles y breves mis canciones.

Ni el volumen es tan pequeño (159 páginas en la primera edición) ni todas las «canciones» (desconcertante denominación) son breves. Repárese, tan sólo, en estos poemas: 1 (149 versos), 11 (58), 13 (94), 14 (124), 22 (155), 39 (48), 49 (136), 57 (142), 63 (112) y 70 (76).

Hay un poema, especialmente decidor, que Murguía sitúa en un lugar que le confiere al mensaje una relevancia muy especial. Es esta la «oración», el poema al que Murguía pretende atribuirle un cierto carácter testamentario:

Tan solo dudas y terrores siento,
divino Cristo, si de Ti me aparto;
mas, cuando hacia la cruz vuelvo los ojos,
me resigno a seguir con mi calvario.
Y alzando al cielo la mirada ansiosa

busco a tu Padre en el espacio inmenso,
como el piloto en la tormenta busca
la luz del faro que le guíe al puerto.

Sin duda alguna, estos versos expresan adecuadamente el angustiado dramatismo de no pocos momentos del vivir de Rosalía, pero también sabemos que hubo instantes en su existencia definidos por una clara negatividad telógica, y de ello hay muy importantes testimonios en alguna página de este libro.

Bastantes críticos, ayunos de Ecdótica rosaliana, han centrado su interés en este poema, que la segunda edición coloca en lugar tan privilegiado.

III. Correcciones

A lo largo del volumen vamos viendo la mano del esposo de la escritora, mano no siempre desafortunada. Abundan las correcciones ortográficas (digámoslo con todo respeto para Rosalía), y, cuando se trata de correcciones estilísticas, algunas parecen acertadas. Veamos un ejemplo:

Mientras gime al *chocar* con las aguas
la brisa de aromas salobres (2,6-7).

Mientras gime al *rozar* con las aguas

En este caso, y en otros, sólo hay motivaciones estrictamente literarias, de minucia estilística; en otros, la motivación pudiera ser ideológica. Repárese en:

Es el fruto podrido de la vida (83,16)

Es el amargo fruto de la vida

Estoy de acuerdo con la anotación de Marina Mayoral: «Pertenece al tipo de correcciones "edulcorantes" que realiza Murguía en la segunda edición.»

Ejemplo más ilustrativo, por tratarse de tema religioso, es el siguiente:

¿Por qué, aunque haya Dios, vence el infierno? (57,80)

¿Por qué, ya que hay Dios, vence el infierno?

En alguna ocasión la corrección no persigue ni objetivos estilísticos ni atenuaciones o dulcificaciones ideológicas; se propone, simplemente, ofrecer una formulación lingüística más apropiada. Pudiera ser un buen ejemplo éste:

Sucumbe el joven, y encorvado, enfermo,
sobreviene en anciano...

que Murguía sustituye por «sobrevive».

1.4. *Unas notas, muy elementales, de Ecdótica*

El editor que nos ofrezca, a partir de una o varias versiones deturpadas de un texto, la lección que más se acerque a la escrita (suscrita) por su autor, ese editor realizará una edición crítica. En el caso de *En las orillas del Sar* «la edición crítica» es el texto de la primera edición, «certificada» en vida por Rosalía. ¿Puede mejorarse ese texto, es decir, podemos construir un texto aún más próximo al elaborado por Rosalía? Sí, en alguna pequeña medida. Hay pequeñas deficiencias en la primera edición que se subsanan con la segunda, y ¡quién sabe si el «sobreviene»-«sobrevive» arriba examinado no será la corrección de una mala lectura, en la imprenta, del manuscrito de Rosalía!

Así pues, se puede mejorar, con la ayuda de la edición de 1909, la de 1884, pero la Filología prohíbe «mejorar» a Rosalía, y, si prohíbe mejorarla, prohíbe, aún más, desvirtuarla.

Dentro de los modestísimos límites trazados, nuestra edición es una edición crítica. Mi respeto al texto de 1884, insisto, es tan grande que no sustituyo «transparente» ni otras formas análogas. Hemos de leer a Rosalía de Castro también en su peculiar fonía.

Nos parece lícito, sin embargo, corregir ciertas grafías, ya que éstas no se proponen, en el planteamiento de la autora, objetivo artístico alguno. En cuanto a ciertas deficiencias de puntuación, que un buen lector o recitador suele subsanar sin especial esfuerzo, es mejor, mucho mejor, la edición de Murguía, y respecto de los signos de admiración y los puntos suspensivos, recursos gráficos, tan del Romanticismo, muy abundantes en la primera edición del libro, los reproduzco con fidelidad, lo que no siempre se hace en algunas ediciones recientes.

Para mí está claro que Murguía estaba interesado no sólo en corregir minúsculas deficiencias en la primera edición (erratas de imprenta y algún lapsus de la autora), sino también (y sobre todo) en ofrecer de Rosalía de Castro, tan inconvencional y radical en este libro, una imagen más concorde con el «establecimiento». Si es así, y conocida su esencial intervención, como «editor» en el volumen de 1884, hay que suponer que pudo haber escamoteado ciertos poemas e incorporado algunos que no respondiesen totalmente al talante de la mayoría. Sin duda influyó también, por otros caminos, en la configuración del libro.

1.5. *Ediciones de 1964 y 1978*

En 1964 publiqué, en la editorial Anaya de Salamanca, *En las orillas del Sar* con un criterio distinto al de todos los editores anteriores. Me atuve a los poemas de la primera edición, y sólo a ellos, y, en cuanto a los de la segunda, salvo los reproducidos en el estudio preliminar, ni siquiera los publiqué en apéndice. Seguí, naturalmente, el texto de 1884, aunque consigné en nota (era obvio también) las principales modificaciones introducidas por Murguía en el texto de 1909.

Hoy por hoy, la mejor edición de nuestro libro se

debe a Marina Mayoral. Ella, como yo, «reivindica» el texto de 1884, aunque dé un trato de favor a los poemas de la segunda edición, que, en mi opinión, merecen, en el mejor de los casos, el subordinado rango de un apéndice. Respecto de ciertas minucias en cuanto a las variantes, las diferencias entre estas ediciones (1964, 1978 y 1985) no son, no pueden ser, muchas ni muy importantes.

Por un elemental espíritu de justicia señalemos que es Marina Mayoral quien por primera vez tiene en cuenta los textos de un número no muy escaso de poemas aparecidos, antes de 1884, en *La Ilustración Cantábrica* (1882) y en *La Nación Española* (1882-1883). Está claro que nuestra edición se beneficia de esta concreta y muy valiosa aportación.

Se trata de un libro en lengua castellana de la autora de *Cantares Gallegos* (1863) y de *Follas Novas* (1880), no sólo dos grandes libros en lengua gallega, sino dos libros esenciales para quien quiera estudiar la resurrección de una literatura y los comienzos firmes de la conciencia galleguista. ¿Por qué nuestro libro en castellano? Sobre el problema escribí hace casi quince años unas cuantas páginas que aún suscribo. Las reproduzco en el siguiente capítulo.

2. UN LIBRO EN LENGUA CASTELLANA

2.1. *La lengua gallega, cuestionada*

En el prólogo de *Follas novas* la autora hace esta revelación: «Creerán algunos que porque, como digo, intenté hablar de cosas que se pueden llamar humildes, es por lo que me explico en nuestra lengua.»

En efecto, para mucha gente de ayer y alguna de hoy, el idioma gallego sólo es apto para lo humilde, o sea, para las cosas de la vida corriente, del vivir campesino, etcétera. Rosalía —el texto es claro— no utiliza el gallego por eso, sino por motivos que líneas más abajo va a exponer. Pero antes de transcribirlos, estas primeras líneas de Rosalía exigen una refutación. Rosalía —objetamos— con frecuencia no escribe sobre trivialidades o cosas humildes, con frecuencia se enfrenta con temas calificables de trascendentes: la meditación religiosa, la prospección ontológica, la denuncia social y otros. Rosalía demostró que en gallego podía trascender el folklore y llegar a la metafísica, y demostró también que podía trascender el sentimentalismo fácil y llegar a los acentos de la musa cívica. (Por aquellos mismos días, Curros Enríquez descubría para la lengua gallega otras dimensiones de la musa civil.)

Sigamos con la revelación:

> No es por eso. Las multitudes de nuestros campos tardarán en leer estos versos, escritos a causa de ellas, pero sólo en cierto modo para ellas. Lo que quise fue hablar una vez más de las cosas de nuestra tierra, en nuestra lengua y pagar en cierto modo también el aprecio y cariño que los Cantares Gallegos despertaron en algunos entusiastas.

Rosalía confiesa que escribe en gallego porque habla de cosas del país, teoría defendible; ahora bien, ¿habla siempre de cosas del país? Hemos visto cuántas páginas son una exploración en la intimidad profunda de la autora. De nuevo Rosalía no apunta derecho. Más atenta en este momento a los emigrantes, a los campesinos y a las escenas rurales del libro, no es consciente de la proeza lingüística que está llevando a cabo: hacer metafísica en gallego. En el pasaje que acabo de comentar hay una especie de inciso en el cual Rosalía alude al destinatario de sus versos. En general es un planteamiento interesante y, desde luego, nuevo en la historia de nuestras Letras. La autora reconoce que no escribe para el campesino gallego de entonces, pues el campesino —explicitamos nosotros— no lee, y menos en su lengua, pues en ella no había sido escolarizado.

La revelación prosigue:

Un libro de trescientas páginas, escrito en el dulce dialecto del país, era entonces cosa nueva y excedía de todo atrevimiento. Lo aceptaron y, lo que es más, lo aceptaron contentos, y yo comprendí que desde ese momento quedaba obligada a que no fuese el primero y el último. No era lícito hacer un llamamiento de guerra y desertar de la bandera que yo misma había levantado.

La autora es consciente del papel histórico jugado por su primer libro gallego. Ahora, en 1880, se encuentra con una estimulante realidad: no pocos escritores ya se han comprometido con la lengua que ella utilizó, en cierto modo, por primera vez. ¿Hay razón para desertar?

Y termina la revelación:

Allá van, pues «las Follas Novas», que mejor se dirían viejas, porque lo son, y últimas, porque pagada ya la deuda en que me parecía estar con mi tierra, difícil es que vuelva a escribir más versos en la lengua materna.

La deuda a la que Rosalía se refiere parece estar clara: Galicia aplaudió con entusiasmo su otro libro en gallego y bastantes poetas entendieron el llamamiento de *Cantares gallegos,* tal como veíamos al comentar el pasaje anterior. Hecho lo cual, Rosalía decide no dar un paso más en la línea del cultivo y de la reivindicación de la lengua gallega: ¿qué acontece realmente? Yo, con toda la cautela que el lector quiera, insinuaría: Rosalía cree que se ha llegado al límite de las posibilidades culturales en gallego. Ni prosa —que ella cultivó anecdóticamente— ni meditación científica, ni teatro se podrán realizar en la lengua del país. Tal idea puede deberse a la hostilidad o indiferencia manifestadas por gentes relevantes del país hacia el hecho de crear una cultura en gallego. En una sociedad menos desfavorable, el poeta Jacinto Verdaguer por los mismos años se asomaba, en idioma vernáculo, al artículo y al libro de viajes. Es un ejemplo.

Rosalía parece proponer algo que todavía hoy piensan algunos: el gallego para la poesía. Y ello con restricciones, ya que en el siguiente libro su lengua será el castellano. Trataremos de ver por qué.

2.2. *Una «revolución» en 1881*

Con el título de «Costumbres gallegas» apareció, en dos entregas, un largo artículo de Rosalía de Castro en «Los Lunes» de *El Imparcial* de Madrid. Fecha: 28 de marzo y 4 de abril de 1881. Una buena parte del trabajo es un canto al paisaje de Galicia y a las virtudes y costumbres de sus gentes. El observador menos atento advierte en estas páginas una argumentación muy parecida, cuando no igual, a la esgrimida en el prólogo de *Cantares gallegos* de 1863. Para que las concomitancias sean más significativas también en este trabajo se desdeñan, por feas e inhóspitas, otras tierras de España que ella tuvo ocasión de conocer, circunstancia biográfica que en uno y otro texto nos ofrece sin otras puntualizaciones. Hecha la apología de la tierra y de los hombres de Galicia, nos describe, en primer lugar, las características de los habitantes de las montañas y, en segundo lugar, las características de los habitantes de las riberas. Hay una cierta propensión al idilio —como notábamos en *Cantares gallegos*—, pues aun los lugareños de vida más mísera y castigada exhiben una generosidad y un desinterés difíciles de admitir en gentes de biografía tan hostigada. Terminada la presentación de uno y otro, el montañés y el ribereño, y ya al final del artículo, hace referencia, con toda la cautela del mundo, a esta costumbre:

> Entre algunas gentes tiénese allí por obra caritativa y meritoria el que, si algún marino por largo tiempo sin tocar a tierra llega a desembarcar en un paraje donde toda mujer es honrada, la esposa, hija o hermana pertenecientes a la familia en cuya casa el forastero haya de encontrar albergue, le permita, por espacio de una noche, ocupar un lugar en su mismo lecho. El marino

puede alejarse después sin creerse en nada ligado a la que cumpliendo a su manera un acto humanitario, se sacrificó hasta tal extremo por llevar a cabo los deberes de la hospitalidad.

Porque Rosalía teme la ira de ciertos lectores, comenta:

Tan extraña como a nosotros debe parecerles a nuestros lectores semejante costumbre, pero por esto mismo no hemos vacilado en darla a conocer, considerando que la buena intención que entraña así ha de salvar en el concepto ajeno a los que llegan en su generosidad con el forastero a extremos tales como a nosotros el sentimiento que ha guiado nuestra pluma al escribir este artículo.

No fue suficiente. La ira estalló, llegó a las páginas de algunos periódicos y Rosalía fue vapuleada. Es lástima —he aquí otra grave laguna en la biografía rosaliana— que estos ataques no hayan sido exhumados. De todos modos, el estudioso de menos imaginación histórica debe sospechar que más de una objeción tuvo que hacerse invocando el buen nombre de Galicia, en opinión del patrioterismo universal siempre por encima de la verdad y de la realidad. Otros, cabe imaginar, debieron ser ciegos a los aspectos positivos que pudiera haber en el comportamiento de la protagonista de «tan extraña costumbre».

¿Existe o ha existido en Galicia la costumbre descrita por Rosalía? Que nadie, ni antes ni después, haya encontrado en nuestro país forma alguna de «prostitución hospitalaria», no quiere decir, necesariamente, que Rosalía de Castro invente por su cuenta. En el peor de los casos cabe pensar en mala información, no en deliberada fabulación. Es lástima, insisto, que no conozcamos los términos de sus contestatarios, si bien podemos medir la magnitud de los ataques por la respuesta de Rosalía. Veamos en qué tono acusa el golpe nuestra autora en una carta a su esposo, firmada en Lestrove el 26 de julio de 1881:

Mi querido Manolo:

Te he escrito ayer, pero vuelvo a hacerlo hoy deprisa para decirte únicamente que me extraña que insistas todavía en que escriba un nuevo tomo de versos en dialecto gallego. No siendo porque lo apurado de las circunstancias me obligaran imperiosamente a ello, dado caso que el editor aceptase las condiciones que te dije, ni por tres, ni por seis, ni por nueve mil reales volveré a escribir nada en nuestro dialecto, ni acaso tampoco a ocuparme de nada que a nuestro país concierna. Con lo cual no perderá nada, pero yo perderé mucho menos todavía.

Se atreven a decir que es fuerza que me rehabilite ante Galicia. ¿Rehabilitarme de qué? ¿De haber hecho todo lo que en mí cupo por su engrandecimiento? El país sí que es el que tiene que rehabilitarse para con los escritores, a quienes, aun cuando no sea más que por la buena fe y entusiasmo con que por él han trabajado, les deben una estimación y respeto que no saben darles, y que guardan para lo que no quiero ahora mentar. ¿Qué algarada ha sido esa que en contra mía han levantado, cuando es notorio el amor que a mi tierra profeso? Aun dado el caso (que niego) de que yo hubiese realmente pecado, por lo que toca al artículo en cuestión, ¿era aquello suficiente para arrojar un sambenito sobre la reputación literaria, grande o pequeña, de cualquier escritor que hubiese dado siempre probadas muestras de amor patrio, como creo yo haberlas dado? No; esto puede decirse, sencillamente, mala fe o falta absoluta no sólo de consideración y gratitud, sino también de criterio. Pues bien, el país que así trata a los suyos no merece que aquéllos que tales ofensas reciben vuelvan a herir la susceptibilidad de sus compatriotas con sus escritos, malos o buenos. Y en tanto, ya que tan dañada intención han encontrado en lo que narré, para dar a conocer (y no para alabarla ni censurarla) una costumbre antiquísima, y de la cual aún quedaba algún resto en nuestro país, pueden consolarse leyendo la estadística por lo que toca a cierta cuestión que han sacado a relucir ciertos periódicos escandalizados con mi artículo. Si así arremetiesen contra la estadística sería mejor, a ver si así lograban borrar lo que es peor mil veces que lo que en mí han censurado tan bravamente.

Hazle, pues, presente al editor que, pese a la mala opinión de que al presente gozo, ha tenido a bien acordarse de mí, lo cual le agradezco, mi resolución de no volver a coger la pluma para nada que pertenezca a este país, ni menos escribir en gallego, de una vez que a él no le conviene aceptar las condiciones que le he propuesto. No quiero volver a escandalizar a mis paisanos... [10].

2.3. De la irritación a la dimisión

La carta, que reproducimos casi completa, contiene algunos pasajes que reclaman un comentario, en especial el primero, donde Rosalía proclama que no volverá a escribir en gallego. El pasaje ha de ser examinado pausadamente.

Nuestro punto de partida va a ser un texto del 30 de marzo de 1880, el prólogo de *Follas novas,* en el que leemos:

> Lo que quise fue hablar una vez más de las cosas de nuestra tierra en nuestra lengua y pagar en cierto modo también el aprecio y cariño que los *Cantares gallegos* despertaron en algunos entusiastas... Lo aceptaron y, lo que es más, lo aceptaron contentos, y yo comprendí que desde ese momento quedaba obligada a que no fuese el primero y el último. No era cosa de convocar a las gentes para la guerra y desertar de la bandera que yo mismo había levantado.

Follas novas, por consiguiente, es una manifestación más de una tradición literaria que sin Rosalía difícilmente hubiera existido. Rosalía es consciente de haber

---

[10] La publicó por primera vez J. Naya Pérez en *Inéditos de Rosalía,* 1953. También en ese libro se nos da la noticia, tan parca como interesante, de que *El Anunciador,* de La Coruña, y *La Concordia,* de Vigo, atacaron muy duramente a Rosalía.

sido la primera en levantar una bandera a la que algunos se adhirieron. Por ello, concluye, ella tenía la obligación de ofrecer un nuevo libro en idioma gallego. Pero, enseguida, afirma: «... porque pagada ya la deuda en que me parecía estar con mi tierra, difícil es que vuelva a escribir más versos en la lengua materna». Tales términos provocan algunas preguntas radicales. ¿Por qué un escritor renuncia a un idioma en el que había alcanzado niveles muy elevados de autenticidad expresiva? ¿Por qué renuncia al idioma que más la identificaba con Galicia, su gran pasión? ¿Por qué renuncia a un idioma de cuya dimensión literaria ella es la gran responsable? Alguien puede sospechar que el libro rosaliano que se avecina, *En las orillas del Sar,* que es una rigurosa exploración en su intimidad, casi siempre exige, para Rosalía, el castellano. La sospecha, así formulada, no es válida porque hay un hecho que la contradice: una parte considerable de *Follas novas* son prospecciones en la intimidad de la autora. Llegados aquí cabe preguntar: ¿esbozó Rosalía de Castro alguna vez una teoría de Galicia? ¿Esbozó alguna vez un planteamiento de la cultura gallega y de sus posibilidades de futuro? ¿Creyó alguna vez en la necesidad de hacer en gallego algo más que poesía? ¿Sospechó en alguna ocasión actitudes como las de Castelao, la revista *Nós,* la Editorial Galaxia o Celso Emilio Ferreiro?

Me atrevería a decir que Rosalía no vislumbró la Galicia que, en cierto modo necesariamente, se desprendía de su propia obra y de la obra de contemporáneos que ella más o menos insconscientemente movilizó. Cuando Rosalía afirma su renuncia no es consciente de que abandona una empresa cultural de cierta ambición. La cultura en gallego parece ser para ella un legítimo sentimiento «provincial» de naturaleza episódica, sin futuro o con muy poco. Estaba muy lejos de pensar que el compromiso literario con la lengua gallega pocos años después iba a ser un aspecto más, una dimensión más del compromiso con Galicia. Pero Rosalía llegó a la lengua gallega por el simple y hondo hecho de que en ella se realizaba mejor como escritora, como escritora, entiéndase bien, que sirve ciertos géneros literarios y ciertos temas (folklore y denuncia sobre todo).

¿Es menos auténtico *En las orillas del Sar,* libro de autoexploración, que los poemas autoexploratorios de *Follas novas?* Son igualmente auténticos. Si es así, su decisión de no escribir en gallego prueba que ella, tan comprometida con Galicia, no cree en la posibilidad de consolidar y ampliar la literatura en gallego. Incluso es muy probable que no se hubiera hecho este planteamiento. Alguno podría pensar que Rosalía, a esta altura de su vida y de su fama, cree llegado el momento de hacer poesía en una macrolengua como es el castellano, en consonancia con la cual estaría la universalidad temática del libro que va a apareecr. Yo no percibo las cosas así, y no sólo por el hecho de que en ningún momento persiguió fama y gloria.

Insisto en mi punto de vista de que la decisión de abandonar el gallego no debe interpretarse como una deserción, ya que Rosalía poseía una pobre conciencia de la realidad y de las posibilidades de una cultura en gallego. Es cierto que ella puso sus cimientos, pero sin percatarse seriamente de ello, porque su mente no estaba a la altura de los fenómenos político-culturales que se estaban gestando. Rosalía fue, antes y después de este despiste histórico, una genial intuición poética. En su obra de poeta hay, entre otras actitudes, una respuesta a Galicia, respuesta que es la base, en gran parte, de cien años de meditación gallega, y por cuyo alcance ni siquiera la gran poetisa se preguntó.

La Rosalía que en 1880 proclama su decisión de no volver a utilizar el idioma gallego, ¿qué opinará al respecto en 1881 cuando su sensibilidad fue golpeada por una parte de la opinión gallega? No nos extrañen estas tajantes expresiones: «... ni por tres, ni por seis, ni por nueve mil reales volveré a escribir nada en nuestro dialecto...». La negativa llega más allá: «... no volveré a escribir más en nuestro dialecto ni acaso tampoco a ocuparme de nada que a nuestro país concierna».

Creo, en verdad, que Rosalía no es consciente de su gigantesca estatura, del decisivo papel histórico jugado por su obra en la historia de la reconcienciación de Galicia. Si Rosalía dimite es que su capacidad de reflexión no está a la altura de su obra ni tampoco a la altura de la conciencia histórica alcanzada en Galicia merced, en buena parte, a su trabajo. Por grande que fuese la injusticia y la mezquindad de la arremetida contra ella, esto le daba derecho a irritaciones y exabruptos, pero jamás a la dimisión. En su indignación habla de que «el país tiene que rehabilitarse ante los escritores», sin pensar por un momento que el fariseísmo procede de un sector, no de todo el país, y que el pueblo —tema de tantas y tan excelsas páginas suyas—, ajeno a tirios y troyanos, necesitaba su palabra.

Graves sucesos sacudían entonces las fibras humanas de Galicia, necesitada más que nunca de la voz desveladora y reveladora de Rosalía de Castro. Hay uno, acaecido entre la aparición de *Follas novas* y la redacción de esta carta, que cruje. Lo relata Murguía en un artículo de la *Ilustración Gallega y Asturiana,* en mayo de 1880. He aquí dos párrafos:

> Los sucesos llegaron: comieron hierba los habitantes de la provincia de Lugo; de las inmediaciones de El Ferrol bajó a la ciudad una multitud hambrienta; Santiago vio renovarse con terror, o poco menos, las escenas de 1853..., y nuestras Corporaciones siguieron imperturbables...
>
> ... ...
>
> Es necesario evitar que nuestro pacientísimo pueblo oiga una vez siquiera lo que el de Irlanda. «Hame entregado —dijo Parnell a la muchedumbre— un hijo de Irlanda veinticinco libras para el socorro de sus hermanos: cinco libras para pan, las veinte restantes para balas.» ¡Porque todavía no se sabe bien de lo que será capaz el pueblo gallego el día que oiga esas palabras y las guarde en su corazón sin rencores, pero traspasado por las siete espadas de sus dolores inacabables!

En esta Galicia, entre vientos de hambre y de irresponsabilidad, Rosalía de Castro dimite.

3. Aproximación a «En las orillas del Sar»

Versos más desazonantes no existen en toda la poesía española del siglo xix. Este libro, de título un tanto bucólico, es un auténtico tratado de desolación. El volumen se abre con un extenso poema, titulado, precisamente, «Orillas del Sar», en el que hay esta interpelación, gozosa por un instante:

¡Cuán hermosa es tu vega, oh Padrón, oh Iria Flavia!

Mas esa vega, paisaje del que Rosalía de Castro en su día extrajo «calor», «savia» y «vida juvenil», ahora no ofrece, a su «existencia oscura», más que una música «bronca y dura»:

Sólo los desengaños preñados de temores,
y de la duda el frío,
avivan los dolores que siente el pecho mío,
y ahondando mi herida,
me destierran del cielo, donde las fuentes brotan
eternas de la vida.

He aquí unas palabras («me destierran del cielo»), no tenidas en cuenta ni siquiera en el esclarecedor ensayo de Celestino Fernández de la Vega [11], que apuntan (apuntan de algún modo) al famosísimo verso de Hölderlin (nunca leído por Rosalía), aquél en el que se pregunta por la finalidad de los poetas en tiempo menesteroso. Para Heidegger, su sorprendente intérprete, ser poeta en tiempo menesteroso significa «reparar, cantando, en la huella de los Dioses ausentados».

---

[11] «Campanas de Bastabales», en 7 ensayos de Rosalía, Vigo, Galaxia, 1952.

Ya antes, en *Follas Novas,* publica un poema en el que detecta que la «noche del mundo» ha sucedido al «día de los dioses»:

¿Quén non xime?
Luz e progreso en todas partes,
pero as dudas nos corazós,
e bágoas que un non sabe por qué corren
e dores que un non sabe por qué son.
«Outro cantar», din cansados
deste estribillo os que chegando van
nunha nova fornada, e que andan cegos
buscando o que inda non hai.
....
Mais eles tamén perdidos
por unha e outra senda van e ven
sin que sepan, ¡coitados!, por ónde andan
sin paz, sin rumbo e sin fe.
Triste é o cantar que cantamos;
mais, ¿qué facer si outro mellor non hai?

El mismo primer poema termina con estas dos estrofas:

Ya que de la esperanza, para la vida mía,
triste y descolorido ha llegado el ocaso,
a mi morada oscura, desmantelada y fría,
tornemos paso a paso,
porque con su alegría no aumente mi amargura
la blanca luz del día.

Contenta el negro nido busca el ave agorera;
bien reposa la fiera en el antro escondido,
en su sepulcro el muerto, el triste en el olvido
y mi alma en su desierto.

Cuando Rosalía se asoma a sí misma, advierte que su espíritu habita en el desierto. No está claro aún, en estos versos, si el desierto se debe a la desesperanza (a la pérdida de esperanza) con minúscula o con mayúscula.

Un poema muy próximo, el 4, nos permite precisar más. Empieza así:

Una luciérnaga entre el musgo brilla
y un astro en las alturas centellea;
abismo arriba, y en el fondo abismo;
¿qué es, al fin, lo que acaba y lo que queda?

A esta composición pertenecen los siguientes versos,
entonces insólitos, únicos:

¿Es verdad que los ves? Señor, entonces,
piadoso y compasivo
vuelve a mis ojos la celeste venda
de la fe bienhechora que he perdido
y no consientas, no, que cruce errante,
huérfano y sin arrimo,
acá abajo los yermos de la vida,
más allá las llanadas del vacío.

Rosalía reconoce que carece de fe (venda, en otra
hora, que, como tal, impedía ver el abismo) y reconoce
también que el «yermo» de la vida se continúa en una
transvida que es el paisaje del no ser: el «vacío».

Al mismo poema pertenecen estos ocho versos:

Desierto el mundo, despoblado el cielo
enferma el alma y en el polvo hundido
el sacro altar en donde
se exhalaron fervientes mis suspiros,
en mil pedazos roto
mi Dios, cayó al abismo,
y al buscarle anhelante, sólo encuentro
la soledad inmensa del vacío.

Buscadora agónica, como Unamuno, de la Divinidad,
reconoce una vez más, ausentados los dioses («despoblado el cielo»), la noche del mundo («desierto el mundo»).

Versos claramente autobiográficos (Rosalía de Castro canta desde ella, no desde un yo ficticio), nos mues-
tran una Rosalía que, por lo menos en algunas horas
extremas de sus años finales, lo cuestiona todo, lo cuestiona y, en ocasiones, manifiesta, muy angustiosamente,

la ausencia, el silencio, la inexistencia de los dioses. Y lo formula con una tragedia que tal vez no hay en el poeta Hölderlin y con palabras totalmente exentas de mitología. Respecto de los poemas comentados hay pasajes o versos que son una feliz y cabal formulación estética, dicho sea de un poeta que en algunas ocasiones no cuida exigentemente la formulación [12].

En la famosa carta del 26 de julio de 1881 no sólo había afirmado que no volvería a escribir «versos en dialecto gallego», sino que manifestaba que «acaso tampoco [vuelva] a ocuparme de nada que a nuestro país concierna». Nada, en efecto, volvió a escribir en la lengua no oficial de Galicia; sin embargo (no se olvide el «acaso»), en el poemario *En las orillas del Sar* hay algunas páginas, muy pocas, de temática gallega. Piezas esenciales de esa temática son «Los robles» y «¡Volved!».

No se ha reparado lo suficiente en el primero de estos poemas, una larga composición (124 versos) que ni siquiera ha sido interrogada por los historiadores. ¿Qué talas hubo en los montes gallegos hacia 1880, que suscitaron versos como éstos?:

> Bajo el hacha implacable, ¡cuán presto
> en tierra cayeron
> encinas y robles!

Poema que parece motivado por una estricta preocupación económica, muy pronto se convierte en un canto en el que el roble simboliza aspectos esenciales de la historia espiritual de Galicia: sus mejores señas de identidad.

El pueblo gallego, sufrido, que ha visto talar tanta riqueza,

> ... espera
> silencioso en su lecho de espinas
> que suene su hora

---

[12] En los últimos pasajes sigo, muy de cerca, el trabajo citado en 11.

> y llegue aquel día
> en que venza con mano segura
> del mal que le oprime
> la fuerza homicida.

El poema 22, « ¡Jamás lo olvidaré...! » (155 versos), es, fundamentalmente, un alegato contra quienes «vieron y callaron» talar «nuestros bosques» (robles, encinas, castaños).

« ¡Volved! » es el poema migratorio del libro, un tema tan frecuente en los dos grandes libros poéticos anteriores:

> Bien sabe Dios que siempre me arrancan tristes lágrimas
> aquellos que nos dejan,
> pero aún más me lastiman y me llenan de luto
> los que a volver se niegan.

No es halagüeña la visión económica que Rosalía posee de Galicia, mas, si insta a sus paisanos a retornar, se debe a la concepción profundamente espiritual, incluso mágica, que tiene de nuestro país: «Volved, que... al pie de cada fuente... de cada muro... en el soto... en el monte...

> Yo os lo digo y os juro
> que hay genios misteriosos
> que os llaman tan sentidos y amorosos...

Es la Rosalía de Castro más inclinada al universo del Espíritu, de la magia, de las sombras, de las transrealidades...; la Rosalía a quien no le da respuestas plenas o satisfactorias el Progreso, la Ciencia...: la Rosalía que proclama el precario valor del positivismo. En un mundo sin dioses, en la noche del mundo, todavía queda en una parte del Planeta, en Galicia —la Galicia, sobre todo, de su infancia y adolescencia—, un trozo de divinidad, llámense «hadas», «genios» o como se llamen.

Aunque lo que predomina en su conciencia son «los

tristes», los seres nacidos condenados a sufrir, ella entre ellos.

Se ha dicho, y yo estoy plenamente de acuerdo, que páginas esenciales de nuestra poetisa se entienden mejor si tenemos en cuenta algunos avatares de su vida, especialmente algunos años de su infancia, aquellos años en que fue una huérfana muy peculiar (huérfana con padre y madre), orfandad poblada de voces confusas, incomprensiones y extraños miedos. El libro *En las orillas del Sar*, su libro más inconvencional, el menos convencional de la poesía española de su siglo, está poblado «de sombras», «fantasmas», «tristes», hostigados e inquietantes búsquedas:

> Yo no sé lo que busco eternamente
> en la tierra, en el aire y en el cielo;
> yo no sé lo que busco, pero es algo
> que perdí no sé cuándo y no encuentro.

Años antes había escrito:

> Teño medo dunha cousa
> que vive e que non se ve.

Por lo demás, no pocos poemas de Rosalía nos hablan de la desesperanza y de la infelicidad como condiciones humanas. Ya muy entrado el siglo xx, la filosofía existencial configuraría, en su angustiada prosa, ideas y sentimientos muy parecidos.

4. «En las orillas del Sar» y la crítica

En 1912 Azorín escribe: «Y del asombro se pasa fácilmente a la indignación cuando se piensa que este libro excepcional, soberbio, magnífico, pasó completamente inadvertido en España...» [13]. En efecto, nadie entre los críticos considerados entonces importantes (Va-

---

[13] «Líricos Castellanos», *La Voz de Galicia,* 25-3-1912.

lera, Clarín...) se ocupó de este libro en las dos primeras décadas. Hay que llegar a 1908 para que un espíritu sensible y culto, Enrique Díez-Canedo, publique unas páginas cuyo título se ha citado mil veces: «Una precursora.» En una de ellas estampa esta aguda caracterización: «Cuando todos declamaban o cantaban, ella se atrevía sencillamente a hablar.» Para Díez-Canedo, Rosalía, una innovadora en métrica, fue también una precursora de todos aquellos que «quieren decir cosas del alma en versos que sólo obedezcan a una ley interior de armonía...». Es decir, Rosalía de Castro es original, anticipadora, en lo musical, siempre que lo musical, además, concierna a aspectos esenciales de la poesía, a aspectos esenciales de las musas.

¿Pero, qué dijo la crítica gallega en los primeros momentos? En realidad sólo se conocen cuatro reseñas, una de ellas, la de Emilio Villelga, exhumada por mí hace poco. Publicada en *Galicia Católica,* de Santiago, que el propio Villelga dirigía, nos admira en ella el fervor de los elogios. Se trata de una página plagada de «piropos» no caracterizadores, y en ningún momento advertimos reserva alguna ante un libro que cuestiona dramáticamente aspectos decisivos de la dimensión teológica de la existencia..

La estimación y difusión extragallega de *En las orillas del Sar (Cantares gallegos* y *Follas Novas)* debe no poco a los artículos, bastantes, de Azorín y a algunas páginas de Unamuno, y también a una semblanza y a unos juicios de Juan Ramón Jiménez. Poco a poco la obra poética de Rosalía fue conquistando en España el aprecio de críticos y estudiosos. En 1958 Dámaso Alonso terminaba una conferencia con estas palabras: «Y a fuerza de esa concentración de zumos nutricios Rosalía viene a resultar el poeta más personal de todo el siglo xix español, quizá el centro más obsesionante, más abrasado de personalidad.»

En cuanto al casi silencio de los críticos en torno a 1884, sépase que *En las orillas del Sar* era un libro, en cuanto al contenido, de propuestas muy radicales, de mensajes muy desasosegantes, y, en su conjunto, un libro «raro», nada fácil de encasillar y comparar. De ahí el silencio.

Luis Cernuda, que no magnifica su poesía, señala: «Sin antecedentes en nuestra lírica clásica, sin continuadores en nuestra lírica contemporánea, Rosalía de Castro nos aparece aislada: un caso aparte. Pero hay que contar con ella.» Ya antes Azorín, en 1917, lo había dicho, tal vez con otro matiz: «El silencio la rodeaba impenetrablemente...»

Algunos estudios recientes, de enfoque psicoanalítico, intentan apresar las zonas que siempre nos han turbado del universo rosaliano, turbación presente en tantas páginas suyas. Solitaria, sola, singular, extraña huérfana, angustiada por su esencial soledad, un poeta contemporáneo, Curros Enríquez, la vio así a los pocos instantes de su muerte:

> E vinna tan sola
> na noite sin fin
> que inda recei pola probe da tola
> eu que non teño quen rece por min.

En las orillas del Sar fue durante bastante tiempo el más incomprendido de sus libros. Rosalía de Castro sólo poseía talento (poético), y el talento no basta en tantas y tantas ocasiones para que una parte de la sociedad repare en una obra literaria, por otro lado tan extraña, tan poco convencional como *En las orillas del Sar*. Sólo después de las páginas de Díez-Canedo, de Azorín, de Unamuno, de Juan Ramón Jiménez, de García Lorca, de Luis Cernuda y de algún otro, Rosalía empezó a ser considerada fuera de Galicia.

En Galicia, donde una gran parte de la opinión ha sido orientada hacia los libros en lengua gallega, las poquísimas reseñas de 1884 y 1885 (alguna insustancial o evasiva) son muestra elocuente de la irrelevante presencia del libro en aquellos años.

5. Fortuna de «En las orillas del Sar»

5.1. Ediciones

En un principio el libro fue muy poco leído. Sólo veinticinco años después, en 1909 [14], aparece la segunda edición, el texto (digámoslo una vez más) tenido en cuenta hasta hace muy poco por casi todos los lectores y una gran parte de los estudiosos. Esta edición la reproduce, en 1925 (?), la Editorial Páez de Madrid. Tan parca presencia coincide con el escaso interés demostrado por los críticos hasta que Azorín, Unamuno y Juan Ramón Jiménez se ocupan, muy elogiosamente, de este extraño volumen de poemas.

De hecho, hay que llegar a 1944, fecha de las *Obras Completas* de la Editorial Aguilar de Madrid (preparadas y prologadas por Victoriano García Martí), para que este libro de Rosalía se abra a un sector del público no tan exiguo. Desde entonces son bastantes las ediciones y reimpresiones publicadas por Aguilar.

En volumen independiente existen, desde 1925, las siguientes ediciones: Dorna, Buenos Aires, 1941; Anaya, Salamanca (varias veces reeditada), 1964; Castalia, Madrid, 1978; Salvora, Santiago, 1984, y Taifa, Barcelona, 1984. Existe también de esta fecha, año del centenario del libro, una antología publicada por el Patronato Rosalía de Castro. Nuestro libro está muy bien representado en la excelente *Antología poética* de Rosalía de Castro, preparada por el profesor Arcadio López-Casanova para la Editorial Alhambra en este año (1985). Fuera de España publicó el profesor italiano Vincenzo Josia, con el título *En las orillas del Sar,* un

---

[14] Con prólogo de Manuel Murguía. En una especie de apéndice se reproducen sendos artículos de J. Barcia Caballero y E. Díez-Canedo. De hecho, en 1909, en Madrid, hubo dos ediciones: La Librería Pueyo y la de la Librería Sucesores de Hernando, ambas exactamente iguales. *Vid.* mi edición de Anaya, pág. 26.

volumen que contiene, entre poemas y fragmentos, 24 textos, en una edición enriquecida con comentarios [15].

Sin tener en cuenta la presencia de nuestro libro en otras *Obras Completas* (Salvora, Santiago, 1883) o en determinadas recopilaciones («Poesías», Patronato Rosalía de Castro, Santiago), *En las orillas del Sar* suscita, por sí solo, un interés un tanto notable.

5.2. Traducciones

No es muy precaria esta dimensión, pero constatamos de nuevo que el libro tarda en imponerse, más aún, en adquirir una cierta presencia.

En el año 1937, más de medio siglo después de su aparición, Griswold Morley publica un volumen, en inglés, con una buena parte de los poemas del libro [16].

El volumen *Poesia scelte,* preparado y traducido por el profesor Mario Pinna, ofrece en italiano, además de algunos poemas de *Follas Novas,* dieciocho de nuestro libro [17].

Desde entonces han aparecido algunos poemas sueltos en portugués, esperanto y japonés [18].

[15] *«En las orillas del Sar». Notas y comentarios por...*, Roma, Signorelli, 1966 (cfr. F. Bouza-Brey, *De novo Rosalía en Italia,* Vigo, Grial, 1967).

[16] *Beside the river 'Sar',* Berkeley, 1937.

[17] Florencia, 1958.

[18] García Bayón, Carlos, «Rosalía en el Imperio del Sol Naciente», *La Voz de Galicia,* 28-III-1976.

Nuestra edición

Los criterios tenidos en cuenta para la presente edición están expuestos debidamente en los apartados 1.4 y 1.5 del capítulo III de este estudio.

Las únicas siglas que se utilizan en las notas a los poemas son:

I.C.: *La Ilustración Cantábrica.*

N.E.: *La Nación Española.*

Ya aquí, mi agradecimiento a tres personas:

A la profesora Aurora Fernández Puente, de Vigo, a quien debo el ejemplar, *rara avis,* de *En las orillas del Sar,* Madrid, 1884, el texto que yo ofrezco y defiendo;

al profesor Xosé Antonio Palacio, y a Dolores Vilavedra Fernández, alumna de Filología Hispánica, que me ayudaron en el cotejo de las dos primeras ediciones de nuestro libro (1884, 1909).

Cronología

1837.   Nace María Rosalía Rita, a las cuatro de la madrugada, el 24 de febrero, en el Camiño Novo, arrabal de Santiago de Compostela.
Sus padres fueron: José Martínez Viojo, sacerdote (1798-1870) y María Teresa de la Cruz de Castro y Abadía (1804-1862), de familia hidalga.
A pocos metros de la cuna de Rosalía, en la hoy llamada Plaza de Vigo, se levanta un monumento a la cantora, inaugurado en julio de 1982.

1837-184...   En los primeros años de su vida reside, al cuidado de dos tías paternas, en la aldea, próxima a Santiago, de O Castro de Ortoño. Nadie ha precisado cuántos años estuvo en esta aldea.

184...-1850.   En fecha no precisada marcha a Padrón con su madre.

1850.   Madre e hija viven en Santiago.
Durante estos años compostelanos adquiere conocimientos de música y dibujo, probablemente en la «Sociedad Económica de Amigos del País», edificio que hoy es el Instituto Femenino «Rosalía de Castro».

1853.   En septiembre asiste en Muxía a la romería de Nosa Señora da Barca, donde enferma de tifus.
El invierno de este año, Año del Hambre (una de las grandes hambres de Galicia), contempla el dan-

47

tesco espectáculo de multitud de campesinos pidiendo limosna por las calles de Santiago.

No sé cómo pudo resistir nuestro país a tan supremos dolores.

1854. En el «Liceo de la Juventud» (en el antiguo convento de San Agustín) interpreta el papel principal de *Rosmunda,* drama de Gil y Zárate.
Rondaban por aquel Liceo nombres como los de Aurelio Aguirre, Eduardo Pondal, Manuel Murguía, Luís Rodríguez Seoane...

1856. En abril de este año (poco después del famoso Banquete de Conxo, que había sido el 2 de marzo) se va a Madrid. Vivirá con la prima de su madre María Josefa Carmen García-Lugín y Castro, en la calle «de la Ballesta», en una casa en la que, desde 1958, figura una placa conmemorativa.

1857. Publica en Madrid *La flor,* librito de versos que suscitó una benévola reseña de Murguía. Es su primer libro.

1858. El 10 de octubre se casa en Madrid (iglesia de San Ildefonso) con Manuel Murguía, por aquel entonces conocido como periodista, después gran polígrafo gallego.

1858-186... Rosalía vivirá en Santiago, Madrid, Lestrove, A Coruña, Lugo (muy probablemente)...

1859. Nace en Santiago, en la calle de la Conga, el 12 de mayo, Alejandra. Apadrinada por el político Alejandro Chao, muy amigo del padre, morirá, en A Coruña, en 1937. Fue ella quien destruyó los inéditos de Rosalía por mandato de ésta.

1860. El 31 de enero, en Santiago, interviene, como actriz, en la representación de *Antonio de Leiva,* drama histórico de Juan de Ariza, obra puesta en escena a beneficio de los heridos en África.

1861. Fecha de su primer poema en gallego, el que glosa la cántiga «Adiós, ríos; adiós, fontes» (*El Museo Universal,* Madrid, 24-II-61).
Su tío José María de Castro vende diez «ferrados» de maíz (ciento diez reales) para ayudar a Rosalía y a su familia.

1862. Muere su madre (24-VI-62).

Murióse la madre mía;
sentí rasgarse mi seno.

(«A mi madre», 1863.)

1863. El 17 de mayo de este año firma la dedicatoria a Fernán Caballero de *Cantares Gallegos*. Ese día cumplía Murguía, su marido, treinta años.

> Sirva... para demostrar... el grande aprecio que le profeso, entre otras cosas, por haberse apartado algún tanto, en las cortas páginas en que se ocupó de Galicia, de las vulgares preocupaciones con que se pretende manchar mi país.

1864. El 30 de noviembre los seminaristas apedrean en Lugo la imprenta de Soto Freire para impedir que éste edite en su *Almanaque* el cuadro de costumbres de Rosalía *El codio.*

1968. Murguía, que era secretario de la Junta Revolucionaria de Santiago, es nombrado por el nuevo Régimen («... por sus méritos literarios y muy especialmente por los contraídos en su obra la *Historia de Galicia*») director del Archivo de Simancas (provincia de Valladolid), cargo que desempeñará durante dos años escasos (5-XII-68/10-X-70).

El 7 de diciembre nace Aura. Casada con Francisco Prats Pérez, interventor del Ayuntamiento de Carmona, muere en esta ciudad en 1942.

1869-1870. De mediados de septiembre a finales de agosto, en Simancas.

> Su composición «Padrón, Padrón!» la escribió, como casi todo el tomo de *Follas Novas,* en Simancas (Murguía).

1870. Nombrado Murguía jefe del Archivo General de Galicia, en A Coruña, Rosalía ya no dejará su tierra.

1871. Nacen los gemelos Gala y Ovidio en las Torres de Lestrove (2-VII-71).

Ovidio fue un importante pintor; murió joven (1-I-1900).

Su hermana morirá, en A Coruña, el 14 de febrero de 1964.

1873. Nace, en A Coruña, Amara (17-VII-73/1921).

1875. Cesante Murguía, al llegar la Restauración, nuevas dificultades. El 20 de marzo nace en Santiago Adriano Honorato Alejandro, que morirá, al caerse de una mesa, el 4 de noviembre de 1876:

> y mientras silenciosa
> lloraba yo y gemía
> mi niño, tierna rosa,
> durmiendo se moría.

1877. Nace en Santiago, muerta, Valentina.
Últimos años: Los pasa en Padrón, en la casa de la Matanza, hoy Casa Museo Rosalía de Castro (desde 1972).

1885. Se agrava el cáncer que venía padeciendo. Pequeña temporada en Carril (ría de Arosa), ya que antes de morir quería ver el mar.

15 de julio de 1885: Muere en A Matanza (Padrón). Fue enterrada en Iria Flavia, en el cementerio de Adina, que ella había cantado:

> O simiterio de Adina
> n'hai duda que é encantador,
> cos seus olivos escuros
> de vella recordazón.
>
> Co seu chan de herbas e frores
> lindas, cal n'outras dou Dios,
> cos seus olivos escuros
> que nel se sentan ó sol:
> ....

Bibliografía

La flor, Madrid, Imprenta a cargo de M. González, 1857.

«Lieders», en *El Álbum del Miño,* Vigo, 1858.

La hija del mar, 1859. Editada en Madrid por Librería c. Bailly Bailliere, pero impresa en Vigo por J. Compañel.

A mi madre, Vigo, Imprenta de J. Compañel, 1863. Folleto de 28 páginas, en tirada de 50 ejemplares.

Flavio (novela), en *Crónica de Ambos Mundos,* Madrid, 1861. Es un folletín de este periódico.

Cantares gallegos, Vigo, Imprenta de J. Compañel, 1863. Dedicatoria en castellano «A Fernán Caballero», firmada en Santiago el 17 de mayo de este año.

Dos poemas, «Adiós, ríos; adiós, fontes» y «Nosa Señora da Barca», ya habían sido publicados en 1861 y 1862, respectivamente.

Trad. de algunos cantares de Ventura Ruiz Aguilera, 1865. Figuran en el libro de éste *Armonías y cantares,* 2.ª edición, Madrid, 1965.

Ruinas, Madrid, 1866. Se publicó por entregas (febrero a abril) en *El Museo Universal.* Algunos sospechan una edición independiente en Vigo, 1864.

«Las literatas. Carta a Eduarda», en *Almanaque de Galicia,* Lugo, Imprenta de Soto Freire, 1865.

«El cadiceño», *ídem.* Es un cuadro de costumbres.

El caballero de las botas azules (cuento extraño), Lugo, Imprenta de Soto Freire, Editor, 1867. ¿Hubo una edición anterior?

Cantares gallegos, nueva edición corregida y aumentada, Madrid, Librería de Leocadio López (ed.), 1872. Contiene cuatro poemas nuevos.

Follas novas (con prólogo de Emilio Castelar), 1880. Lo edita en realidad *La Propaganda Literaria,* La Habana, aunque se imprime en Madrid.

El primer loco (cuento extraño), Madrid, Imprenta y Librería de Moya y Plaza, 1881. Contiene, al final, «El Domingo de Ramos (Costumbres gallegas)».

«El Domingo de Ramos». *Vid. El primer loco.*

«Padrón y las inundaciones», en *La Ilustración gallega y asturiana,* 1881 (cuatro entregas: febrero a marzo).

«Costumbres gallegas», en *Los Lunes del Imparcial,* Madrid, 1881.

En las orillas del Sar (poesías), Madrid, Establecimiento Tipográfico de Ricardo Fe, 1884.

Apéndice

Fallecida Rosalía, se publicaron:

«Conto gallego», en *Almanaque Gallego,* Buenos Aires, 1923.

Juan Naya Pérez, *Inéditos de Rosalía,* Santiago de Compostela, Publicaciones del Patronato Rosalía de Castro, 1953. Son unas cuantas páginas: cartas, algún poema...

Otros textos inéditos: algunas cartas y algunos poemas.

Bibliografía sobre 1.ª parte:

A) *Libros*

ALBERT ROBATO, Matilde, *R. de C. y la condición femenina,* Madrid, Ediciones Partenón, 1981.

ALONSO MONTERO, Xesús, *R. de C.,* Madrid, Ediciones Júcar, Col. Los Poetas, 1972 (5.ª edición, 1983).

— (ed.), *En torno a Rosalía,* Madrid, Júcar, 1985.

AZORÍN, *R. de C. y otros motivos gallegos,* Lugo, Celta,

1973. Trabajos recopilados y anotados por X. Alonso Montero, que van de 1912 a 1942.

BRIESEMEISTER, Dietrich, *Die Dichtung der R. de C.,* München, 1959.

CAAMAÑO BOURNACELL, José, *R. de C. en el llanto de su estirpe,* Madrid, 1968.

CARBALLO CALERO, Ricardo, *Contribución ao estudo das fontes literarias de R.,* Lugo, Celta, 1959.

— *Particularidades morfológicas del lenguaje de R. de C.,* Universidad de Santiago de Compostela, 1972.

— *Estudos rosalianos. Aspectos da vida e da obra de R. de C.,* Vigo, Galaxia, 1979.

CARNÉS, Luisa, *R. de C. Raíz apasionada de Galicia,* México, Ediciones Rex, 1945.

COSTA CLAVELL, Xavier, *R. de C.,* Barcelona, Plaza Janés, 1967.

DÍAZ, Nadia A., *La protesta social en la obra de R. de C.,* Vigo, Galaxia, 1976.

FIORENTINO, Luigi, *La protesta di R.,* Milán, Mursia, 1979.

GARCÍA MARTÍ, Victoriano, *R. de C. o el dolor de vivir,* Ediciones Aspas, 1944. Figura como prólogo de *Obras Completas* de Aguilar, Madrid, a partir de 1944.

GONZÁLEZ BESADA, Augusto, *R. de C. Notas biográficas,* Madrid, Biblioteca Hispania, s. a. (¿1916?). Reproduce el discurso de ingreso en la Real Academia Española de la Lengua (7-V-1916) y la respuesta de Jacinto Octavio Picón.

GONZÁLEZ CARBALLO, *Libro de canciones para R. de C.,* Ediciones Galicia, del Centro Gallego de Buenos Aires, 1954. Es un libro de poemas.

KULP, Kathleen K., *Manner and mood in R. de C. A study of themes and style,* Madrid, Ediciones José Porrúa Turanzas, 1968.

LÁZARO, Ángel, *R. de C. Estudio y antología,* Madrid, Compañía Bibliográfica Española, 1966.

NOGALES DE MUÑIZ, M.ª Antonia, *Irradiación de R. C. Palabra viva, tradicional y precursora,* Barcelona, 1966.

MAYORAL, Marina, *La poesía de R. de C.,* Madrid, Gredos, 1974.

ODRIOZOLA, Antonio, *Rosalía de Castro. Guía bibliográfica.* Museo de Pontevedra, 1981.

PÀMIES, Tereša, *Rosalía no hi era,* Barcelona, Destino, 1982.

53

POULLAIN, Claude Henri, *R. C. de Murguía y su obra literaria,* Madrid, Editora Nacional, 1974.

PROL BLAS, José S., *Estudio bibliográfico-crítico de las obras de R. de C.,* Santiago, 1917.

SANTALLA MURIAS, Alicia, *R. de C. Vida poética y ambiente,* Buenos Aires, 1942.

SANTOS SERRA, Luis, *R. de C.,* Madrid, Forma Ediciones, 1977.

TAIBO GARCÍA, Victoriano, *R. de C., precursora da Fala,* Real Academia Gallega, 1972. Es el discurso de ingreso (15-X-1948) con la respuesta de R. Otero Pedrayo.

TIRREL, Mary Pierre, *La mística de la saudade. Estudio de la poesía de R. de C.,* Madrid, Ediciones Jura, 1951.

VALES FAILDE, Javier, *R. de C.,* Madrid, 1906.

Varios, *De Rosalía a Castelao: Galicia (1837-1950),* Santiago, Museo do Pobo Galego, 1985.

B) *Capítulos o páginas importantes en volúmenes diversos (historias de la literatura, estudios de periodos, etc.)*

ALONSO MONTERO, Xesús, *Realismo y conciencia crítica en la literatura gallega,* Madrid, Ciencia Nueva, 1968.

ALVILARES MOURE, José, *¿Proceso a la iglesia gallega? Testimonio de los escritores gallegos del siglo XIX,* Madrid, Marova, 1979.

ALLISON PEERS, E., *Historia del movimiento romántico español,* II, Madrid, Gredos, 1954.

BALBONTÍN, José A., *Tres poetas de España. R. de C., Federico García Lorca, Antonio Machado,* México, 1957.

BARJA, César, *En torno al lirismo gallego del siglo XIX,* Northampton-París, 1926.

— *Libros y autores modernos,* Los Ángeles, 1933.

CARBALLO CALERO, Ricardo, *Aportaciones a la literatura gallega contemporánea,* Madrid, Gredos, 1955.

— *Sete poetas galegos,* Pontevedra, 1955.

— *Historia da literatura galega contemporánea,* Vigo, Galaxia, 1963.

CERNUDA, Luis, *Estudios de poesía española contemporánea,* Madrid, Guadarrama, 1957.

COSSÍO, José M.ª de, *Cincuenta años de poesía española (1850-1900),* II, Madrid, Espasa-Calpe, 1960.

Díaz Plaja, Guillermo, *La poesía lírica española,* Barcelona, 1937.

Jiménez, Juan Ramón, *Españoles de tres mundos,* Buenos Aires, Losada, 1942.

— *El Modernismo (Notas de un curso, 1953),* Madrid, Aguilar, 1962.

Landeira, Ricardo L., *La saudade en el Renacimiento de la literatura gallega,* Vigo, Galaxia, 1970.

Madariaga, Salvador de, *Mujeres españolas,* Col. Austral, 1972.

Martín, Elvira, *Tres mujeres gallegas del siglo XIX. Concepción Arenal, R. de C., Emilia Pardo Bazán,* Barcelona, Aedos, 1962.

Mazei, Pillade, *Due anime dolenti: Bécquer e R.,* Milán, 1936.

Murguía, Manuel, *Los precursores,* La Coruña, Biblioteca Gallega, 1885.

Otero Pedrayo, Ramón, *Romantismo, saudade, sentimento da raza e da terra en Pastor Díaz, R. de C. e Pondal,* Santiago, Nós, 1931. Es el discurso de ingreso en la Real Academia Galega y la respuesta de Vicente Risco.

Pardo Bazán, Emilia, *De mi tierra,* Madrid, s. a.

Risco, Vicente, «Poesía gallega del siglo xix», en Díaz Plaja, Guillermo (dir.), *Historia general de las literaturas hispánicas,* Barcelona, 1956.

Unamuno, Miguel de, *Por tierras de Portugal y España,* Madrid, Renacimiento, 1911.

— *Andanzas y visiones españolas,* Madrid, Renacimiento, 1922.

Varela, José L., *Poesía y Restauración cultural de Galicia,* Madrid, Gredos, 1958.

Varela, José L., *La palabra y la llama,* Madrid, Prensa Española, 1962.

C)   *Trabajos: ensayos, prólogos, conferencias...*

Bouza Brey, Fermín, «La joven R. en Compostela» (1852-1856), *Cuadernos de Estudios Gallegos,* 1955.

— «Las enfermedades infantiles de Rosalía de Castro y los ritos de medicina mágica en Galicia», *ídem,* 1967.

Carballo Calero, R., «A poética de *Follas novas*», *Nue-*

vo Hispanismo, Universidad Internacional Menéndez Pelayo, 1, 1982.

CORONA MARZOL, Gonzalo, «Una lectura de R.», en *Revista de Literatura,* núm. 87, 1982.

CHAMPOURCÍN, Ernestina de, «R. de C.», *Hora de España,* febrero, 1938.

DÍEZ CANEDO, Enrique, «Una precursora», *La Lectura,* 1909.

FERNÁNDEZ DE LA VEGA, Celestino, V. D 12.

FILGUEIRA VALVERDE, José, «R. en el centenario de sus *Cantares gallegos», Atlántida,* 2, 1963.

GARCÍA SABELL, Domingo, V. D 12.

GRAÑA, Bernardino, «Campanas, templos, sombras de Rosalía», *Grial,* 9, 1965.

LAPESA, Rafael, «Bécquer, R. y Machado», *Insula,* abril, 1954.

— «Tres poetas ante la soledad: Bécquer, Rosalía y Machado», Madrid, UNED, 1983.

MACHADO DA ROSA, A., «R. de C., poeta incomprendido», *Revista Hispánica Moderna,* julio de 1954.

MURGUÍA, Manuel, Prólogo a *En las orillas del Sar,* Madrid, Librería Pueyo, 1909.

PINNA, Mario, «Motivi della lirica di R. de C.», *Quaderni Ibero-Americani,* 21, 1957.

PLACER, Gumersindo, «El sacerdote en la vida y en la obra de R. de C.», en *Grial,* 23, 1969.

ROF CARBALLO, Juan, V. D 12.

SEOANE, Luis, «O pensamento político de R.», *Galicia,* 1954.

D) *Homenajes, monografías colectivas, cursos* [1]

O tío Marcos da Portela, Ourense, xulio, 1885. Poemas de Javier Valcarce Ocampo y V. Lamas Carvajal, además de editorial y esquela.

La Patria Gallega, núm. 5, Santiago, 1891. Trabajos de José R. Carracido, Emilio A. Villelga Rodríguez, Oliveira Martins, Juan M. Paz Novoa y Narcis Oller; poemas de S. Cabeza de León, Teodoro Llorente, J. Rubió i Ors, A. M. S., J. Barcia Caballero, Alberto García Ferreiro, A. García V. Queipo, Alfredo Brañas, Galo Salinas, Máximo Leyes Posse y J. M. Riguera Montero.

---

[1] En este apartado el orden es el cronológico.

«Hoja literaria en honor de la insigne escritora Rosalía Castro de Murguía», en *El Fin de Siglo,* Santiago, 27-V-1891. Trabajos de L. Rodríguez Seoane y Jesús Barreiro Castorga; poemas de L. R. S., Carmen Beceiro Pato y Eduardo Pato Martín.

«A Rosalía Castro en el duodécimo aniversario de su muerte, los gallegos residentes en la República Argentina», Buenos Aires, 15 de julio de 1897. Trabajo de M. Castro López, discurso de Francisco Suárez Salgado y carta a Murguía; poema de Ricardo Conde Salgado.

«Homenaje a Rosalía Castro de Murguía. Velada solemne celebrada en el Ateneo León XIII el día 30 de mayo de 1899, en que se puso, sobre el mausoleo de la insigne poetisa, la corona enviada por los entusiastas gallegos residentes en Buenos Aires», Santiago, 1899. Discursos de Alfredo Brañas, Salvador Cabeza de León y el P. Suárez Salgado; poemas de Juan García San Millán y Luis Rodríguez Seoane; un trabajo de Luis L. Elizagaray.

«Galicia. Número extraordinario dedicado a la memoria de la insigne poetisa Rosalía Castro de Murguía», Madrid, 17-VII-1907. Trabajos de J. Vales Failde, Alfredo Vicenti, José R. Carracedo, Alberto Insúa, Prudencio Canitrot, Juan Neira Cancela...; poemas de Filomena Dato, Sarah Lorenzana, Curros Enríquez y J. Barcia Caballero.

Suevia, Buenos Aires, 1913.

Homenaje a Rosalía de Castro, Coruña, 1916. Promovido por la Reunión Recreativa e Instructiva de Artesanos, contiene un artículo de Manuel Casás y poemas de Rosalía.

Cauces, revista literaria, Jerez de la Frontera, núms. 11 y 12, 1937. Trabajos de Francisco Montero Galvache, Teodoro Molina, P. Pérez Clotet, Juan Ruiz Peña, José M.ª Hernández Rubio, Eugenio D'Ors, Carmen Carriedo y Pragmacio Salgado.

Cultura gallega, La Habana, Centro Gallego, marzo-abril, 1937. Trabajos de R. Menéndez Pidal, Adolfo V. Calveiro, Gerardo Álvarez Gallego y Dámaso Pérez Valenzuela; poemas de R. Cabanillas, A. Rey Soto, Ángel Lázaro y Pedro Vázquez.

Rosalía (revista), Santiago de Cuba, 1937.

Siete ensayos sobre Rosalía, Vigo, Galaxia, 1952. Contiene: L. Pimentel («Poema»), Teixeira de Pascoaes («Poema»), R. Carballo Calero («Arredor de Rosalía»), D. García Sabell («R. y su sombra»), Jacinto de Prado Coelho («O clássico e o prazenteiro em R.»), Celestino F. de la Vega («Campanas de Bastabales»), R. Piñeiro («A saudade en R.»), J. Rof Carballo («R. ánima galaica») y Salvador Lorenzana («Xuicios críticos sobre R.»). Retrato de R. por Carlos Maside, y viñetas de Xohán Ledo.

Homenagem a Rosalía de Castro (agosto de 1954), Publicações da Cámara Municipal do Porto, 1955. Discurso de autoridades políticas y carta de doña Gala Murguía de Castro.

«Homenaje a R. de C. en el primer centenario de su boda», en *Mundo Gallego,* núm. 4, Madrid, enero, 1959. Trabajos de Avelino Gómez Ledo, José L. Varela, R. Otero Pedrayo, M. Fraga Iribarne y Dámaso Alonso.

Cuadernos de Estudios Gallegos, Santiago, t. XVIII, 1963. Trabajos de F. Bouza Brey y R. Carballo Calero. (El resto del volumen, dedicado a Pastor Díaz, † 1863).

La Noche, Faro de Vigo, La Voz de Galicia, El Progreso, y el resto de los periódicos gallegos dedican a Rosalía páginas o importantes espacios el 17 de mayo de 1963, I Día das Letras Galegas.

Grial, Vigo, núm. 1, 1963. En parte dedicado a R. Trabajos de Cosme Barreiros e Isidoro Millán González-Pardo; poemas de S. García-Bodaño, A. López Casanova, Xohana Torres y Carlos Casares.

Presencia de Rosalía (Homenaxe no noventa cabodano do seu pasamento), Vigo, 1975. Trabajos de Camilo J. Cela, G. Torrente Ballester, X. Filgueira Valverde, Salvador Lorenzana, Álvaro Cunqueiro, Carlos Baliñas, Xosé M.ª Álvarez Blázquez, X. Neira Vilas, Santos Simões, E. Blanco Amor, Xohán Naya, Basilio Losada, Carlos A. Zubillaga, E. Pérez Hervada, X. Costa Clavell, Eliseo Alonso, Xosé M.ª Castroviejo y Ramiro Cartelle; poemas de Uxío Novoneyra, Celso E. Ferreiro, V. Paz-Andrade, Víctor L. Molinari, Daría Xohán Cabana, M. Fabeiro Gómez, Isaac Otero y Luis Blanco. Ilustran el volumen Martínez Pasarín, Urbano Lugrís, Víctor Casas, M. Torres, J. L. de Dios, Antón Patiño, Castro Couso, C. Maside, Siro, Castelao, Laxeiro, Virxilio, Colmeiro, Pérez Bellas y Rosales Ardá,

Medio cento de galegos e Rosalía, 1980. Entrevistas de Radio Popular de Lugo, recogidas, en 1983, en un volumen. Intervinieron: Avelino Abuin de Tembra, X. Alonso

Montero, Xosé M.ª Álvarez Blázquez, R. Dieste, D. García Sabell, Marina Mayoral, J. Rof Carballo, José L. Varela y Pura Vázquez.

Rosalía de Castro, Pontevedra, septiembre, 1981. Curso organizado por la Universidad «Menéndez y Pelayo», en el que intervinieron X. Alonso Montero, X. Filgueira Valverde, Rafael Lapesa...

«A Nosa Terra» (Rosalía viva), Vigo, 1984. Colaboran X. Alonso Montero, Eugenio de Andrade, Carme Blanco, R. Carballo Lapesa... [2-3].

Bibliografía sobre 2.ª parte: «En las orillas del Sar»

a) *Reseñas, notas, comentarios... a la primera edición (1884)*

PONDAL, Eduardo, Carta a Rosalía (18-V-1884) [4].

VILLEGA Y RODRÍGUEZ, Emilio, «*En las orillas del Sar.* Poesías de Rosalía Castro de Murguía», *Galicia Católica,* Santiago, 15-VII-1884.

---

[2] En este año, primer centenario de la muerte de la autora (1885-1985), se publicaron, en la prensa gallega y extragallega, suplementos monográficos y páginas especiales. He aquí algunos datos: *Faro de Vigo* (14-VII-85), *La Voz de Galicia* (18-VII-85), *Diario 16,* Madrid (14-VII-85), *ABC,* Madrid (13-VII-85), *El País,* Madrid (16-VII-85).

[3] Está a punto de publicarse en Edicións Xerais, de Vigo, *Coroa poética para Rosalía,* setenta poemas (1860 a 1885), en varias lenguas (gallego, castellano, catalán, portugués y bable), que yo seleccioné y prologué. Homenaje análogo, de varios poetas portugueses de hoy, es el opúsculo *Rosalírica,* Edicións do Castro, 1985; también el libro de Helena Villar Janeiro, *Rosalía no espello* (Patronato Rosalía de Castro, 1985), pertenece a este capítulo. El volumen *A Rosalía desde Granada* (Granada, 1985), con poemas rosalianos en muy distintas lenguas, contiene versos sobre o para nuestra autora.

En 1984 el Centro Dramático Galego estrenó la obra teatral *Agasallo de sombras,* de Roberto Vidal Bolaño. De 1959 data *Rosalía,* original diálogo dramático de Ramón Otero Pedrayo que acaba de publicar por primera vez la Editorial Galaxia de Vigo.

[4] Publicado por R. Carballo Calero en *Cuadernos de Estudios Gallegos,* 66, 1963.

Leyes Pose, Máximo, *En las orillas del Sar,* Santiago, El Tricornio, 18-VII-1884.

Insúa, Waldo A., «*En las orillas del Sar.* Poesías de Rosalía Castro de Murguía», *El Eco de Galicia,* La Habana, 27-VII-1884 y 17-VIII-1884.

S. P. M., «*En las orillas del Sar* (Sulle rive del Sar). Poesías de Rosalía de Castro de Murguía», *La Rassegna Nazionale,* Florencia, 1-VII-1885.

Tamayo y Baus, M., Informe a la Academia sobre *En las orillas del Sar,* 1885 (?) [5].

Barcia Caballero, Juan, *En las orillas del Sar.* Poesías por doña Rosalía Castro de Murguía», febrero, 1885 [6].

Barros, Manuel, «Una visita a Rosalía Castro», *El Eco de Galicia,* La Habana, 2-VIII-1885.

Díez-Canedo, Enrique, «Una precursora», *La Lectura,* Madrid, 1908 [7].

b) *Trabajos a partir de la 2.ª edición (1909)*

Cordero Carrete, F. R., «Variantes en un poema de R.», *Cuadernos de Estudios Gallegos,* XVI, 1950.

Villamana, Elena, «En las orillas del Sar», *Publicações do Centro de Estudios Humanísticos,* Porto, 1952.

Bouza-Brey, Fermín, «Manuel Barros, escritor emigrado, amigo de Rosalía, y los orígenes del libro *En las orillas del Sar*», *Cuadernos de Estudios Gallegos,* 49, 1961.

Schwartz, Kessel, «Rosalía de Castro's *En las orillas del Sar*: a Psychoanalytical Interpretation», *Symposium,* 1972.

Havard, Robert G., «Image and Persona in Rosalía de Castro's *En las orillas del Sar*», *Hispanic Review,* 42, 1974.

La Follette, Martha, «Aspects of Perspective in Rosalía de Castro's *En las orillas del Sar*», *Kentucky Romance Quaterly,* 29, 1982.

Durán, José Antonio, «Manuel Barros (1884-1885), patriota trotamundos, la esperanza americana de Murguía y Rosalía», *La Voz de Galicia,* La Coruña, 25-II-1985.

---

[5] Se publicó en el *Boletín de la Real Academia Gallega,* 192, 1-III-1927, pág. 296.

[6] Con esta fecha figura como epílogo de la segunda edición.

[7] Se reproduce, como epílogo, en la edición citada en 6.

c) *Comunicaciones presentadas en el Congreso Internacional*

«Rosalía de Castro e o seu tempo», Santiago de Compostela, 15 al 20 de julio de 1985 [8].

ARMIÑO, Mauro, «Unidad de voz en *En las orillas del Sar* y *Follas novas*».

CARDONA CASTRO, Ángeles, «Simbolismo europeo y Rosalía de Castro. *En las orillas del Sar*».

GIBERT CARDONA, Jorge M.ª, «Sentido y forma de la muerte en *En las orillas del Sar*».

LEWIS GALANES, Adriana, «Rosalía de Castro: Penélope sin esperar a Ulises (desde *La flor* a *En las orillas del Sar*)».

MARTÍNEZ FERNÁNDEZ, Celso, «*En las orillas del Sar,* uso y función de fórmulas líricas».

PARAÍSO ALMANSO, Isabel, «La audacia métrica de Rosalía de Castro en *En las orillas del Sar*».

SEPÚLVEDA, Enma, «Notas sobre una lectura de *En las orillas del Sar*».

VALDIVIESO, L. Teresa, «En los orígenes de la crítica sobre Rosalía de Castro» [9].

---

[8] Las «Actas» están en prensa.

[9] Para que se vea el interés que fue suscitando nuestro libro en el transcurso del tiempo hemos preferido en este capítulo la relación cronológica.

En las orillas del Sar

Cementerio de Adina, donde fue enterrada Rosalía (sus restos se trasladaron luego a Santiago).

1

ORILLAS DEL SAR

I

A través del follaje perenne
que oír deja rumores extraños,
y entre un mar de ondulante verdura,
amorosa mansión de los pájaros,
    desde mis ventanas veo   5
    el templo que quise tanto.

    El templo que tanto quise...,
pues no sé decir ya si le quiero,
que en el rudo vaivén que sin tregua
    se agitan mis pensamientos,   10
    dudo si el rencor adusto
vive unido al amor en mi pecho.

---

⁴ N.E.: «agradable mansión de los pájaros».
⁸ N.E.: «lo».

II

¡Otra vez!, tras la lucha que rinde
y la incertidumbre amarga
del viajero que errante no sabe   15
      dónde dormirá mañana,
      en sus lares primitivos
halla un breve descanso mi alma.

Algo tiene este blando reposo
      de sombrío y de halagüeño,   20
cual lo tiene, en la noche callada,
      de un ser amado el recuerdo,
que de negras traiciones y dichas
inmensas, nos habla a un tiempo.

Ya no lloro…, y no obstante, agobiado   25
y afligido mi espíritu, apenas
de su cárcel estrecha y sombría
      osa dejar las tinieblas
      para bañarse en las ondas
      de luz que el espacio llenan.   30

Cual si en suelo extranjero me hallase,
      tímida y hosca, contemplo
desde lejos los bosques y alturas
      y los floridos senderos
donde en cada rincón me aguardaba   35
      la esperanza sonriendo.

III

Oigo el toque sonoro que entonces
a mi lecho a llamarme venía
con sus ecos que el alba anunciaban,

___
21-24 N.E.: Cual lo tiene la pálida sombra
            de algún adorado muerto
            que entre cirios y rosas marchitas
            triste, viene a besarnos en sueños

          mientras, cual dulce caricia,   40
          un rayo de sol dorado
alumbraba mi estancia tranquila.

          Puro el aire, la luz sonrosada,
          ¡qué despertar tan dichoso!
Yo veía entre nubes de incienso,   45
          visiones con alas de oro
que llevaban la venda celeste
          de la fe sobre sus ojos...

          Ese sol es el mismo, mas ellas
          no acuden a mi conjuro;   50
y a través del espacio y las nubes,
y del agua en los limbos confusos,
y del aire en la azul transparencia,
¡ay!, ya en vano las llamo y las busco.

          Blanca y desierta la vía   55
          entre los frondosos setos
y los bosques y arroyos que bordan
sus orillas, con grato misterio
atraerme parece y brindarme
a que siga su línea sin término.   60

          Bajemos, pues, que el camino
          antiguo nos saldrá al paso,
aunque triste, escabroso y desierto,
          y cual nosotros cambiado,
lleno aún de las blancas fantasmas   65
          que en otro tiempo adoramos.

---

[53] R. escribe «trasparencia»; desde M., «transparencia».
[63-66] N.E.: Como amigo querido que vuelve
          desde lejos, y abiertos los brazos
          a alegrar nuestros males presentes
          recordando los bienes pasados

Tras de inútil fatiga, que mis fuerzas agota,
caigo en la senda amiga, donde una fuente brota
        siempre serena y pura,
y con mirada incierta, busco por la llanura   70
no sé qué sombra vana o qué esperanza muerta,
no sé qué flor tardía de virginal frescura
que no crece en la vía arenosa y desierta.

De la oscura Trabanca tras la espesa arboleda,
gallardamente arranca al pie de la vereda   75
La Torre y sus contornos cubiertos de follaje,
prestando a la mirada descanso en su ramaje
cuando de la ancha vega por vivo sol bañada
        que las pupilas ciega,
atraviesa el espacio, gozosa y deslumbrada.   80

Como un eco perdido, como un amigo acento
        que sueña cariñoso,
el familiar chirrido del carro perezoso
corre en alas del viento y llega hasta mi oído
cual en aquellos días hermosos y brillantes   85
en que las ansias mías eran quejas amantes,
eran dorados sueños y santas alegrías.

Ruge la Presa lejos..., y, de las aves nido,
        Fondóns cerca descansa;
la cándida abubilla bebe en el agua mansa   90
donde un tiempo he creído de la esperanza hermosa
beber el néctar sano, y hoy bebiera anhelosa
las aguas del olvido, que es de la muerte hermano;
donde de los vencejos que vuelan en la altura,
        la sombra se refleja;   95
y en cuya linfa pura, blanca, el nenúfar brilla
por entre la verdura de la frondosa orilla.

---

[81] N.E.: «Como un eco perdido, con un amigo acento»
[96] Conviene consignar:
N.E.: «Y en cuya linfa pura, blanca el nenúfar brilla»
R.:   «Y en cuya linfa pura, blanca el nenúfar brilla»

¡Cuán hermosa es tu vega, oh Padrón, oh Iria Flavia!
Mas el calor, la vida juvenil y la savía
    que extraje de tu seno,   100
como el sediento niño el dulce jugo extrae
    del pecho blanco y lleno,
de mi existencia oscura en el torrente amargo
pasaron, cual barrida por la inconstancia ciega,
una visión de armiño, una ilusión querida,   105
    un suspiro de amor.

De tus suaves rumores la acorde consonancia,
ya para el alma yerta tornóse bronca y dura
    a impulsos del dolor;
secáronse tus flores de virginal fragancia;   110
perdió su azul tu cielo, el campo su frescura,
    el alba su candor.
La nieve de los años, de la tristeza el hielo
constante, al alma niegan toda ilusión amada,
    todo dulce consuelo.   115
Sólo los desengaños preñados de temores,
    y de la duda el frío,

M.:   «Y en cuya linfa pura, blanco el nenúfar brilla»
S.:   «Y en cuya linfa pura, blanco el nenúfar brilla»
C.:   «Y en cuya linfa pura, blanca, el nenúfar brilla»
Pero comenta Marina Mayoral: «Parece que en las primeras ediciones falta una coma o hubo una errata y se cambio la "o" final en "a". Rítmicamente, la solución dada por S. parece la más acertada, ya que se trata de alejandrinos con hemistiquio.» En realidad, yo me limitaba a reproducir la versión de Murguía.
Sobre este pasaje, *vid.* Miguel González Garcés, «Un nenúfar en Rosalía», *Faro de Vigo* (núm. especial del centenario), 1953.
100-102 N.E.:   que extraje de tu seno como el sediento niño
                 el dulce jugo extrae del pecho blanco y lleno,
                 de mi amargada vida entre el turbión insano.
105 M.:   «barridas».
108-111 N.E.:   ya para el alma muerta perdióse y la armonía:
                 sobre una tierra yerta
                 secáronse tus flores de virginal fragancia
                 perdió su azul tu cielo, el campo la alegría.

avivan los dolores que siente el pecho mío,
    y ahondando mi herida,
me destierran del cielo, donde las fuentes brotan   120
    eternas de la vida.

VI

¡Oh tierra, antes y ahora, siempre fecunda y bella!
Viendo cuán triste brilla nuestra fatal estrella,
    del Sar cabe la orilla
al acabarme, siento la sed devoradora   125
y jamás apagada que ahoga el sentimiento,
y el hambre de justicia, que abate y que anonada
cuando nuestros clamores los arrebata el viento
    de tempestad airada.

Ya en vano el tibio rayo de la naciente aurora   130
    tras del Miranda altivo,
valles y cumbres dora con su resplandor vivo;
en vano llega mayo de sol y aromas lleno,
con su frente de niño de rosas coronada,
    y con su luz serena: 135
en mi pecho ve juntos el odio y el cariño,
    mezcla de gloria y pena,
mi sien por la corona del mártir agobiada
y para siempre frío y agotado mi seno.

VII

    Ya que de la esperanza, para la vida mía,   140
    triste y descolorido ha llegado el ocaso,
a mi morada oscura, desmantelada y fría,

---

[120] En R., sin el pronombre inicial «me». Quien consulte la primera edición observará que se trata de un lapsus de imprenta que subsanará Murguía.

[127] N.E.: «y el hambre de justicia que abate y anonada»

[142] M. escribe siempre «obscura», «obscuro».

tornemos paso a paso,
porque con su alegría no aumente mi amargura
   la blanca luz del día.   145

Contenta el negro nido busca el ave agorera;
bien reposa la fiera en el antro escondido,
en su sepulcro el muerto, el triste en el olvido
   y mi alma en su desierto.

* * *

2

         Los unos altísimos,
         los otros menores,
con su eterno verdor y frescura,
         que inspira a las almas
         agrestes canciones,   5
mientras gime al chocar con las aguas
la brisa marina de aromas salobres,
van en ondas subiendo hacia el cielo
         los pinos del monte.

De la altura la bruma desciende   10
         y envuelve las copas
perfumadas, sonoras y altivas
         de aquellos gigantes
         que el Castro coronan;
brilla en tanto a sus pies el arroyo   15
         que alumbra risueña
         la luz de la aurora,
y los cuervos sacuden sus alas,
         lanzando graznidos
         y huyendo la sombra.   20

----
6 M.: ... «al rozar...»

El viajero, rendido y cansado,
que ve del camino la línea escabrosa
que aún le resta que andar, anhelara,
deteniéndose al pie de la loma,
de repente quedar convertido   25
en pájaro o fuente,
en árbol o en roca.

* * *

3*

Era apacible el día
y templado el ambiente,
y llovía, llovía
callada y mansamente;
y mientras silenciosa   5
lloraba yo y gemía,
mi niño, tierna rosa,
durmiendo se moría.

Al huir de este mundo, ¡qué sosiego en su frente!
Al verle yo alejarse, ¡qué borrasca en la mía!   10

Tierra sobre el cadáver insepulto
antes que empiece a corromperse..., ¡tierra!
Ya el hoyo se ha cubierto, sosegaos;
bien pronto en los terrones removidos
verde y pujante crecerá la hierba.   15

---

* Poema comentado por F. Lázaro Carreter en *Estudios de
poética,* Madrid, Taurus, 1976, págs. 56-57.
5 I.C.: «y mientras sordamente».
8 Se refiere a la muerte de Adriano Honorato Alejandro († 4-
XI-1876), su penúltimo hijo. *Vid.* F. Bouza Brey, «Adriano y
Valentina, motivaciones inspiradoras de R. de C.», *Cuadernos de
Estudios Gallegos,* fasc. LIII, 1962.
15 R. suele escribir «yerba».

¿Qué andáis buscando en torno de las tumbas,
torvo el mirar, nublado el pensamiento?
¡No os ocupéis de lo que al polvo vuelve!
Jamás el que descansa en el sepulcro
ha de tornar a amaros ni a ofenderos,   20

        ¡Jamás! ¿Es verdad que todo
        para siempre acabó ya?
No, no puede acabar lo que es eterno,
ni puede tener fin la inmensidad.

Tú te fuiste por siempre; mas mi alma   25
te espera aún con amoroso afán,
y vendrás o iré yo, bien de mi vida,
allí donde nos hemos de encontrar.

Algo ha quedado tuyo en mis entrañas
        que no morirá jamás,   30
y que Dios, porque es justo y porque es bueno,
a desunir ya nunca volverá.

En el cielo, en la tierra, en lo insondable
        yo te hallaré y me hallarás.
No, no puede acabar lo que es eterno,   35
ni puede tener fin la inmensidad.

        Mas... es verdad, ha partido
        para nunca más tornar.
Nada hay eterno para el hombre, huésped
de un día en este mundo terrenal   40
en donde nace, vive y al fin muere,
cual todo nace, vive y muere acá.

* * *

---

²³ R. escribe «Nó» así, con tilde. ¿Rasgo gráfico para enfati-
zar? Pero cfr. v. 35. En el v. 23 hay, tras «Nó», punto y coma.
²⁷ I.C.: «Sí, sí, es verdad, ha partido»
³⁹ I.C.: «No hay nada eterno para el hombre, huésped»
⁴² Hay una versión distinta de este poema. *Vid*. Juan Naya
Pérez, *Inéditos de Rosalía*, Santiago de Compostela, 1953, páginas 63-64.

4

Una luciérnaga entre el musgo brilla
y un astro en las alturas centellea;
abismo arriba, y en el fondo abismo;
¿qué es al fin lo que acaba y lo que queda?
   En vano el pensamiento   5
indaga y busca en lo insondable, ¡oh ciencia!
Siempre, al llegar al término, ignoramos
qué es al fin lo que acaba y lo que queda.
   Arrodillada ante la tosca imagen,
mi espíritu, abismado en lo infinito,   10
impía acaso, interrogando al cielo
y al infierno a la vez, tiemblo y vacilo.
   ¿Qué somos? ¿Qué es la muerte? La campana
con sus ecos responde a mis gemidos
desde la altura, y sin esfuerzo el llanto   15
baña ardiente mi rostro enflaquecido.
   ¡Qué horrible sufrimiento! ¡Tú tan sólo
lo puedes ver y comprender, Dios mío!
   ¿Es verdad que los ves? Señor, entonces,
     piadoso y compasivo   20
vuelve a mis ojos la celeste venda
de la fe bienhechora que he perdido,
y no consientas, no, que cruce errante,
     huérfano y sin arrimo,
acá abajo los yermos de la vida,   25
más allá las llanadas del vacío.

   Sigue tocando a muerto, y siempre mudo
     e impasible el divino
rostro del Redentor, deja que envuelto
en sombras quede el humillado espíritu.   30
   Silencio, siempre; únicamente el órgano

---

[5] I.C.: «En vano, en vano, el pensamiento altivo»
[23-24] I.C.: Y no consientas que aterida y huérfana
     cruce errante y sin tino
Esta ed. y la de Murguía consignan «huérfana», que parece
más adecuado.

con sus acentos místicos
resuena allá de la desierta nave
bajo el arco sombrío.

Todo acabó quizás, menos mi pena,   35
    puñal de doble filo;
todo, menos la duda que nos lanza
de un abismo de horror en otro abismo.

Desierto el mundo, despoblado el cielo,
enferma el alma y en el polvo hundido   40
    el sacro altar en donde
se exhalaron fervientes mis suspiros,
    en mil pedazos roto
    mi Dios, cayó al abismo,
y al buscarle anhelante, sólo encuentro   45
la soledad inmensa del vacío.

    De improviso los ángeles
    desde sus altos nichos
de mármol, me miraron tristemente
y una voz dulce resonó en mi oído: 50
    «Pobre alma, espera y llora
    a los pies del Altísimo;
    mas no olvides que al cielo
nunca ha llegado el insolente grito
de un corazón que de la vil materia   55
y del barro de Adán formó sus ídolos.»

*   *   *

5

Adivínase el dulce y perfumado
    calor primaveral;
los gérmenes se agitan en la tierra
con inquietud en su amoroso afán,

—————————
36 I.C.: «puñal de dobles filos»

y cruzan por los aires, silenciosos,   5
átomos que se besan al pasar.

Hierve la sangre juvenil, se exalta
lleno de aliento el corazón, y audaz
el loco pensamiento sueña y cree
que el hombre es, cual los dioses, inmortal,   10
   No importa que los sueños sean mentira,
     ya que al cabo es verdad
que es venturoso el que soñando muere,
infeliz el que vive sin soñar.

   ¡Pero qué aprisa en este mundo triste   15
     todas las cosas van!
¡Que las domina el vértigo creyérase!
La que ayer fue capullo, es rosa ya,
y pronto agostará rosas y plantas
     el calor estival.   20

* * *

6

Candente está la atmósfera;
explora el zorro la desierta vía;
    insalubre se torna
del limpio arroyo el agua cristalina,
    y el pino aguarda inmóvil   5
los besos inconstantes de la brisa

    Imponente silencio
    agobia la campiña;

---

   [9] I.C.: «el loco pensamiento sueña y cree»
  [14] I.C.: «e infeliz el que vive sin soñar»
  [15] I.C.: «Pero qué aprisa en este mundo loco»
  [19] I.C.: «porque bien pronto agostará las flores». R. ofrece este lapsus: «agotará». No así M.
   [5] I.C.: «el pino aguarda inmóvil»

sólo el zumbido del insecto se oye
en las extensas y húmedas umbrías,   10
    monótono y constante
como el sordo estertor de la agonía.

Bien pudiera llamarse, en el estío,
    la hora del mediodía,
noche en que al hombre, de luchar cansado,   15
    más que nunca le irritan
de la materia la imponente fuerza
y del alma las ansias infinitas.

    Volved, ¡oh, noches del invierno frío,
nuestras viejas amantes de otros días!   20
Tornad con vuestros hielos y crudezas
a refrescar la sangre enardecida
por el estío insoportable y triste...
¡Triste... lleno de pámpanos y espigas!

    Frío y calor, otoño o primavera,   25
¿dónde..., dónde se encuentra la alegría?
Hermosas son las estaciones todas
para el mortal que en sí guarda la dicha;
mas para el alma desolada y huérfana
no hay estación risueña ni propicia.   30

* * *

7

    Un manso río, una vereda estrecha,
un campo solitario y un pinar,
y el viejo puente rústico y sencillo
completando tan grata soledad.

---

¹⁷ I.C.: «impotente»
²⁴⁻²⁵ En R. y M., separación normal entre verso y verso.
  ⁴ I.C.: «completando tan dulce soledad»

¿Qué es soledad? Para llenar el mundo   5
basta a veces un solo pensamiento.
Por eso hoy, hartos de belleza, encuentras
el puente, el río y el pinar desiertos.

No son nube ni flor los que enamoran;
eres tú, corazón, triste o dichoso,   10
ya del dolor y del placer el árbitro,
quien seca el mar y hace habitar el polo.

* * *

8

—Detente un punto, pensamiento inquieto;
     la victoria te espera,
el amor y la gloria te sonríen.
¿Nada de esto te halaga ni encadena?
—Dejadme solo y olvidado y libre;   5
quiero errante vagar en las tinieblas;
     mi ilusión más querida
sólo allí dulce y sin rubor me besa.

* * *

9

Moría el sol, y las marchitas hojas
de los robles, a impulso de la brisa,
en silenciosos y revueltos giros
     sobre el fango caían:
ellas, que tan hermosas y tan puras   5
en el abril vinieron a la vida.

---

⁷ I.C.: «Por eso hay, hartos de belleza, encuentro»

Ya era el otoño caprichoso y bello:
¡cuán bella y caprichosa es la alegría!
Pues en la tumba de las muertas hojas
vieron sólo esperanzas y sonrisas.   10

Extinguióse la luz: llegó la noche
como la muerte y el dolor, sombría;
estalló el trueno, el río desbordóse
arrastrando en sus aguas a las víctimas;
y murieron dichosas y contentas...   15
¡Cuán bella y caprichosa es la alegría!

* * *

10

Del rumor cadencioso de la onda
        y el viento que muge;
del incierto reflejo que alumbra
        la selva o la nube;
del piar de alguna ave de paso;   5
del agreste ignorado perfume
        que el céfiro roba
        al valle o a la cumbre,
mundos hay donde encuentran asilo
        las almas que al peso   10
        del mundo sucumben.

* * *

---

9 I.C.: «pues entre tantas tumbas de hojas muertas»
13 I.C.: «estalló el trueno y desbordóse el río»
15 I.C.: «y murieron dichosos y contentos».
8 I.C.: «al valle o la cumbre»

11*

MARGARITA

I

¡Silencio, los lebreles
de la jauría maldita!
No despertéis a la implacable fiera
que duerme silenciosa en su guarida.
        ¿No veis que de sus garras   5
penden gloria y honor, reposo y dicha?

Prosiguieron aullando los lebreles...
— ¡los malos pensamientos homicidas! —
y despertaron la temible fiera...
— ¡la pasión que en el alma se adormía! —   10
        Y ¡adiós! en un momento,
¡adiós gloria y honor, reposo y dicha!

II

Duerme el anciano padre, mientras ella
a la luz de la lámpara nocturna
contempla el noble y varonil semblante   15
        que un pesado sueño abruma.

        Bajo aquella triste frente
        que los pesares anublan,
deben ir y venir torvas visiones,
        negras hijas de la duda.   20

Ella tiembla..., vacila y se estremece...
¿De miedo acaso, o de dolor y angustia?

---

* Poema comentado por Azorín en el artículo «Rosalía de Castro» (fecha, 8-I-1914) y recogido en el vol. *Leyendo a los poetas*, Zaragoza, Librería General, 1929.
5 N.E.: «No veis que de sus garras ponzoñosas»

Con expresión de lástima infinita,
    no sé qué rezos murmura.
Plegaria acaso santa, acaso impía,   25
trémulo el labio a su pesar pronuncia,
mientras dentro del alma la conciencia
    contra las pasiones lucha.

    ¡Batalla ruda y terrible
librada ante la víctima, que muda   30
duerme el sueño intranquilo de los tristes
a quien ha vuelto el rostro la fortuna!

    Y él sigue en reposo, y ella,
que abandona la estancia, entre las brumas
de la noche se pierde, y torna al alba,   35
ajado el velo..., en su mirar la angustia.

    Carne, tentación, demonio,
¡oh!, ¿de cuál de vosotros es la culpa?
¡Silencio...! El día soñoliento asoma
    por las lejanas alturas,   40
y el anciano despierto, ella risueña,
    ambos su pena ocultan,
y fingen entregarse indiferentes
a las faenas de su vida oscura.

III

La culpada calló, mas habló el crimen...   45
Murió el anciano, y ella, la insensata,
siguió quemando incienso en su locura,
de la torpeza ante las negras aras,
hasta rodar en el profundo abismo,
fiel a su mal, de su dolor esclava.   50

---

[38] N.E.: «Oh ¿cuál, cuál de vosotros es la culpa?»
[42] N.E.: «ambos su mal ocultan». Suponemos que es lapsus
el «se» de C. («se ocultan»), ausente en R. y M.

¡Ah! Cuando amaba el bien, ¿cómo así pudo
hacer traición a su virtud sin mancha,
malgastar las riquezas de su espíritu,
vender su cuerpo, condenar su alma?

Es que en medio del vaso corrompido   55
donde su sed ardiente se apagaba,
de un amor inmortal los leves átomos,
sin mancharse, en la atmósfera flotaban.

* * *

12

Sedientas las arenas, en la playa
sienten del sol los besos abrasados,
y no lejos, las ondas, siempre frescas,
ruedan pausadamente murmurando.

Pobres arenas, de mi suerte imagen: 5
no sé lo que me pasa al contemplaros,
pues como yo sufrís, secas y mudas,
el suplicio sin término de Tántalo.

Pero ¿quién sabe...? Acaso luzca un día
en que, salvando misteriosos límites,   10
avance el mar y hasta vosotras llegue
a apagar vuestra sed inextinguible.

¡Y quién sabe también si tras de tantos
siglos de ansias y anhelos imposibles,
saciará al fin su sed el alma ardiente   15
donde beben su amor los serafines!

* * *

---

53 N.E.: «derrochar las riquezas de su espíritu»
16 En N.E., después de este verso, esta estrofa más:

Sujeto a la materia el triste espíritu,
en vanos pensamientos se desata.
¡Quién se extraña que sueñe el prisionero
que ha roto las cadenas que le ataban!
Del monte al llano, de la tierra al cielo,
del placer al dolor, corre perdido.
¡Oh Dios! deja que al cabo en ti descanse,
el pobre y fatigado peregrino.

13

LOS TRISTES

I

De la torpe ignorancia que confunde
    lo mezquino y lo inmenso;
de la dura injusticia del más alto,
de la saña mortal de los pequeños,
¡no es posible que huyáis! cuando os conocen   5
y os buscan, como busca el zorro hambriento
a la indefensa tórtola en los campos;
    y al querer esconderos
de sus cobardes iras, ya en el monte,
en la ciudad o en el retiro estrecho,   10
¡ahí va!, exclaman, ¡ahí va!, y allí os insultan
y señalan con íntimo contento
cual la mano implacable y vengativa
señala al triste y fugitivo reo.

II

Cayó por fin en la espumosa y turbia   15
recia corriente, y descendió al abismo
para no subir más a la serena
y tersa superficie. En lo más íntimo
del noble corazón ya lastimado,
resonó el golpe doloroso y frío   20
    que ahogando la esperanza
hace abatir los ánimos altivos,
y plegando las alas torvo y mudo,
en densa niebla se envolvió su espíritu.

---

[1] N.E.: «De la ignorancia que confunde torpe»
[7] N.E.: «... en las eras»
[12] N.E.: «y delatan con íntimo contento»
[14] N.E.: «delata al triste y fugitivo reo»
[18] N.E.: «y lisa superficie...»

III

Vosotros, que lograsteis vuestros sueños,   25
¿qué entendéis de sus ansias malogradas?
Vosotros, que gozasteis y sufristeis,
¿qué comprendéis de sus eternas lágrimas?

Y vosotros, en fin, cuyos recuerdos
son como niebla que disipa el alba,   30
¡qué sabéis del que lleva de los suyos
la eterna pesadumbre sobre el alma!

IV

Cuando en la planta con afán cuidada
la fresca yema de un capullo asoma,
lentamente arrastrándose entre el césped,   35
le asalta el caracol y la devora.

Cuando de un alma atea,
en la profunda oscuridad medrosa
brilla un rayo de fe, viene la duda
y sobre él tiende su gigante sombra.   40

V

En cada fresco brote, en cada rosa erguida,
cien gotas de rocío brillan al sol que nace;
mas él ve que son lágrimas que derraman los tristes
al fecundar la tierra con su preciosa sangre.

Henchido está el ambiente de agradables aromas,   45
las aguas y los vientos cadenciosos murmuran;

---

[27] N.E. y R.: «vosotros que gozasteis si sufristeis». Nosotros
reproducimos M.
[30] N.E.: «se borran como brumas de alborada»
[37] N.E.: «Cuando de un alma que hizo atea el odio»

Mi querido Manolo; no debía escri
virte hoy pues tú que me dices lo ha
ya yo todos los días, escasea la tuya;
cuanto puedes, pues casualmente los dos
días peores que he tenido, hasta me aco
teció la fatalidad de no recibir carta
tuya. Ya me vas acostumbrando, y co
mo todo depende de la costumbre ya
no me hace tanto efecto, sin embargo
estos días en que me encuentro enfer
ma. Como estoy mas _susceptible_ lo sien
to mas. Te perdono sin embargo, aun
que sé que no tendrías hoy otro mo
tivo para no escribirme, que el de al
gún presito con Yndalecio, ú otra co
sa parecida. pero no renovemos por esto
cuando tan desdichados somos ya. Yo
prosigo con mucha tos, mucha mas que
antes. aun que me cesaron los escalo
fríos. sin embargo, se me figura que
este golpe ha sido demasiado fuerte
y que si llego a sanar, que no lo

Carta autógrafa de Rosalía a su marido.

mas él siente que rugen con sordo clamoreo
de sofocados gritos y de amenazas mudas.

¡No hay duda! De cien astros nuevos, la luz radiante
hasta las más recónditas profundidades llega;   50
    mas sus hermosos rayos
jamás en torno suyo rompen la bruma espesa.

De la esperanza, ¿en dónde crece la flor ansiada?
Para él, en dondequiera al retoñar se agosta,
ya bajo las escarchas del egoísmo estéril,   55
o ya del desengaño a la menguada sombra.

¡Y en vano el mar extenso y las vegas fecundas,
los pájaros, las flores y los frutos que siembran!
Para el desheredado, sólo hay bajo del cielo
esa quietud sombría que infunde la tristeza.   60

VI

    Cada vez huye más de los vivos,
    cada vez habla más con los muertos,
y es que cuando nos rinde el cansancio
    propicio a la paz y al sueño,
    el cuerpo tiende al reposo,   65
    el alma tiende a lo eterno.

VII

Así como el lobo desciende a poblado,
si acaso en la sierra se ve perseguido,
huyendo del hombre que acosa a los tristes,
buscó entre las fieras el triste un asilo.   70

---

[47] N.E.: «Mas él oye que rugen...»
[51] N.E.: «Mas angustiado él siente que sus hermosos rayos»
[59] M.: «... sólo hay bajo los cielos» (R. y M. consignan —errata de imprenta— «desherado» en vez de «desheredado»).

86

El sol calentaba su lóbrega cueva,
piadosa velaba su sueño la luna,
el árbol salvaje le daba sus frutos,
la fuente sus aguas de grata frescura.

Bien pronto los rayos del sol se nublaron.   75
la luna entre brumas veló su semblante,
secóse la fuente, y el árbol nególe,
al par que su sombra, sus frutos salvajes.

Dejando la sierra buscó en la llanura
de otro árbol el fruto, la luz de otro cielo;   80
y a un río profundo, de nombre ignorado,
pidióle aguas puras su labio sediento.

¡Ya en vano!, sin tregua siguióle la noche,
la sed que atormenta y el hambre que mata;
¡ya en vano!, que ni árbol, ni cielo, ni río,   85
le dieron su fruto, su luz, ni sus aguas.

Y en tanto el olvido, la duda y la muerte
agrandan las sombras que en torno le cercan,
allá en lontananza la luz de la vida,
hiriendo sus ojos feliz centellea.   90

Dichosos mortales a quien la fortuna
fue siempre propicia... ¡Silencio!, ¡silencio!,
si veis tantos seres que corren buscando
las negras corrientes del hondo Leteo.

* * *

---

74 N.E.: «... sana frescura»
90-91 N.E.: Entre estos dos versos, esta estrofa:

¿A dónde irá el triste del mundo arrojado?
¿Hambriento, desnudo, sin agua y sin sol?
Ni cabe en la tierra, ni ciego de cólera
en otro Dios cree que el mal y el dolor.

14

LOS ROBLES

I

Allá en tiempos que fueron, y el alma
han llenado de santos recuerdos,
de mi tierra en los campos hermosos,
la riqueza del pobre era el fuego,
que al brillar de la choza en el fondo,   5
calentaba los rígidos miembros
por el frío y el hambre ateridos
    del niño y del viejo.

De la hoguera sentados en torno,
en sus brazos la madre arrullaba   10
    al infante robusto;
daba vuelta, afanosa la anciana
en sus dedos nudosos, al huso,
y al alegre fulgor de la llama,
ya la joven la harina cernía,   15
    o ya desgranaba
con su mano callosa y pequeña,
del maíz las mazorcas doradas.

Y al amor del hogar calentándose
en invierno, la pobre familia   20
campesina, olvidaba la dura
condición de su suerte enemiga;
y el anciano y el niño, contentos
en su lecho de paja dormían,
como duerme el polluelo en su nido   25
cuando el ala materna le abriga.

---

² N.E.: «... de tantos recuerdos»
¹¹⁻¹² N.E.: al infante robusto: afanosa
        daba vueltas la débil anciana

II

Bajo el hacha implacable, ¡cuán presto
        en tierra cayeron
        encinas y robles! ;
y a los rayos del alba risueña,   30
        ¡qué calva aparece
        la cima del monte!

Los que ayer fueron bosques y selvas
        de agreste espesura,
donde envueltas en dulce misterio   35
        al rayar el día
        flotaban las brumas,
y brotaba la fuente serena
entre flores y musgos oculta,
hoy son áridas lomas que ostentan   40
        deformes y negras
        sus hondas cisuras.

Ya no entonan en ellas los pájaros
sus canciones de amor, ni se juntan
cuando mayo alborea en la fronda   45
que quedó de sus robles desnuda.
Sólo el viento al pasar trae el eco
        del cuervo que grazna,
        del lobo que aúlla.

III

Una mancha sombría y extensa   50
borda a trechos del monte la falda,
semejante a legión aguerrida
que acampase en la abrupta montaña
        lanzando alaridos
        de sorda amenaza.   55

Son pinares que al suelo, desnudo
de su antiguo ropaje, le prestan

con el suyo el adorno salvaje
que resiste del tiempo a la afrenta
y corona de eterna verdura   60
    las ásperas breñas.

    Árbol duro y altivo, que gustas
de escuchar el rumor del Océano
y gemir con la brisa marina
de la playa en el blanco desierto,   65
¡yo te amo!, y mi vista reposa
con placer en los tibios reflejos
que tu copa gallarda iluminan
cuando audaz se destaca en el cielo,
despidiendo la luz que agoniza,   70
saludando la estrella del véspero.

    Pero tú, sacra encina del celta,
y tú, roble de ramas añosas,
sois más bellos con vuestro follaje
que si mayo las cumbres festona   75
salpicadas de fresco rocío
donde quiebra sus rayos la aurora,
y convierte los sotos profundos
    en mansión de gloria.

        Más tarde, en otoño   80
cuando caen marchitas tus hojas,
        ¡oh roble!, y con ellas
generoso los musgos alfombras,
        ¡qué hermoso está el campo;
        la selva, qué hermosa!   85

Al recuerdo de aquellos rumores
    que al morir el día
se levantan del bosque en la hondura

75-77 N.E.: Que si en mayo las cumbres festona
            vaporoso cual gasa ligera
            de diamantes bordada y de rosas

cuando pasa gimiendo la brisa
y remueve con húmedo soplo   90
        tus hojas marchitas
mientras corre engrosado el arroyo
en su cauce de frescas orillas,
estremécese el alma pensando
dónde duermen las glorias queridas   95
de este pueblo sufrido, que espera
silencioso en su lecho de espinas
        que suene su hora
        y llegue aquel día
en que venza con mano segura,   100
        del mal que le oprime,
        la fuerza homicida.

IV

Torna, roble, árbol patrio, a dar sombra
cariñosa a la escueta montaña
donde un tiempo la gaita guerrera   105
alentó de los nuestros las almas
y compás hizo al eco monótono
        del canto materno,
        del viento y del agua,
que en las noches del invierno al infante 110
en su cuna de mimbre arrullaban.
Que tan bello apareces, ¡oh roble!
de este suelo en las cumbres gallardas
y en las suaves graciosas pendientes
donde umbrosas se extienden tus ramas, 115
como en rostro de pálida virgen
cabellera ondulante y dorada,
        que en lluvia de rizos
        acaricia la frente de nácar.

---

115 N.E.: «que la vista encantan»

¡Torna presto a poblar nuestros bosques;   120
y que tornen contigo las hadas
que algún tiempo a tu sombra tejieron
        del héroe gallego
        las frescas guirnaldas!

* * *

15

Alma que vas huyendo de ti misma,
¿qué buscas, insensata, en las demás?
Si secó en ti la fuente del consuelo,
secas todas las fuentes has de hallar.
    ¡Que hay en el cielo estrellas todavía,   5
y hay en la tierra flores perfumadas!
        ¡Sí...! Mas no son ya aquellas
que tú amaste y te amaron, desdichada.

* * *

16

Cuando recuerdo del ancho bosque
        el mar dorado
de hojas marchitas que en el otoño
agita el viento con soplo blando,
tan honda angustia nubla mi alma,   5
        turba mi pecho,
que me pregunto:
        «¿Por qué tan terca,
tan fiel memoria me ha dado el cielo?»

* * *

---

³ M.: «Si en ti secó...»
¹ En R. leemos «Cuando recuerdo del ancho   e», que completa correctamente M.: «Cuando... bosque»

17

Del antiguo camino a lo largo,
ya un pinar, ya una fuente aparece,
que brotando en la peña musgosa
con estrépito al valle desciende.
Y brillando del sol a los rayos   5
entre un mar de verdura se pierden,
dividiéndose en limpios arroyos
que dan vida a las flores silvestres
y en el Sar se confunden, el río
que cual niño que plácido duerme,   10
reflejando el azul de los cielos,
lento corre en la fronda a esconderse.

No lejos, en soto profundo de robles,
en donde el silencio sus alas extiende,
y da abrigo a los genios propicios,   15
a nuestras viviendas y asilos campestres,
siempre allí, cuando evoco mis sombras,
o las llamo, respóndenme y vienen.

* * *

18

Ya duermen en su tumba las pasiones
      el sueño de la nada;
¿es, pues, locura del doliente espíritu,
o gusano que llevo en mis entrañas?
   Yo sólo sé que es un placer que duele,   5
que es un dolor que atormentando halaga,
llama que de la vida se alimenta,
mas sin la cual la vida se apagara.

* * *

19

Creyó que era eterno tu reino en el alma,
y creyó tu esencia, esencia inmortal;
    mas, si sólo eres nube que pasa,
    ilusiones que vienen y van,
rumores del onda que rueda y que muere   5
y nace de nuevo y vuelve a rodar,
todo es sueño y mentira en la tierra,
    ¡no existes, verdad!

* * *

20

Ya siente que te extingues en su seno,
    llama vital, que dabas
luz a su espíritu, a su cuerpo fuerzas,
    juventud a su alma.

Ya tu calor no templará su sangre,   5
    por el invierno helada,
ni harás latir su corazón, ya falto
    de aliento y de esperanza.

Será cual astro que apagado y solo,
 perdido va por la extensión del cielo,   10
mudo, ciego, insensible,
sin goces, ni tormentos.

* * *

---

³ M.: «... nube que rueda,»
⁵ M.: «... del onda que pasa y...»
¹² Respeto el orden de R., alterado por M., orden que sigue C.

No subas tan alto, pensamiento loco,
que el que más alto sube más hondo cae.
ni puede el alma gozar del cielo
mientras que vive envuelta en la carne.

Por eso las grandes dichas de la tierra   5
tienen siempre por término grandes catástrofes.

* * *

¡Jamás lo olvidaré...! De asombro llena
al escucharlo, el alma refugióse
en sí misma y dudó...; pero al fin, cuando
la amarga realidad, desnuda y triste,
ante ella se abrió paso, en luto envuelta,   5
presenció silenciosa la catástrofe,
cual contempló Jerusalén sus muros
para siempre entre el polvo sepultados.

¡Profanación sin nombre! Dondequiera
que el alma humana, inteligente, rinde   10
culto a lo grande, a lo pasado culto,
esas selvas agrestes, esos bosques
seculares y hermosos, cuyo espeso
ramaje abrigo y cariñosa sombra
dieron a nuestros padres, fueron siempre   15
de predilecto amor, lugares santos
que todos respetaron.
                    ¡No! En los viejos
robledales umbrosos, que hacen grata
la más yerma región, y de los siglos
guardan grabada la imborrable huella   20
que en ellos han dejado, ¡nunca!, ¡nunca!
con su acerado filo osada pudo

el hacha penetrar, ni con certero
y rudo golpe derribar en tierra,
cual en campo enemigo, el árbol fuerte   25
de larga historia y de nudosas ramas
que es orgullo del suelo que le cría
con savia vigorosa, y monumento
que en sólo un día no levanta el hombre,
pues es obra que Dios al tiempo encarga   30
y a la madre inmortal naturaleza,
artista incomparable.
                        Y sin embargo...
¡nada allí quedó en pie! Los arrogantes
cedros de nuestro Líbano, los altos
gigantescos castaños, seculares,   35
regalo de los ojos; los robustos
y centenarios robles, cuyos troncos
de arrugas llenos, monstruos semejaban
de ceño adusto y de mirada torva
que hacen pensar en ignorados mundos;   40
las encinas vetustas, bajo cuyas
ramas vagaron en silencio tantos
tercos, impenitentes soñadores...:
¡todo por tierra y asolado todo!
Ya ni abrigo, ni sombra, ni frescura;   45
los pájaros huidos y espantados
al ver deshecha su morada; el viento
gimiendo desabrido, como gime
en las desiertas lomas donde sólo
áridos riscos a su paso encuentra;   50
los narcisos y blancas margaritas
que apiñadas brillaban entre el musgo
cual brillan las estrellas en la altura;
los lirios perfumados, las violetas,
los miosotis, azules como el cielo   55
—y que bordando la ribera undosa
recordábanle al triste enamorado
que de las aguas se sentaba al borde

---

[56] N.E.: «y que bordando hermosos la ribera»

aquella dulce frase, ¡siempre inútil,
mas repetida siempre! : «*No me olvides*»—,   60
todo marchito y sepultado todo
sin compasión bajo el terrible peso
de los ya inertes troncos. La corriente
mansa del Sar, entre sus ondas plácidas
arrastrando en silencio los despojos   65
del sagrado recinto, y de la dura
hacha los golpes resonando huecos,
cual suelen resonar los del martillo
al remachar de un ataúd los clavos...

Ya en el paraje agreste y escondido   70
que tanto hemos amado, ya en el bello
lugar en donde con afán las almas
buscaban un refugio, y en alegres
bandadas, al llegar la primavera,
en unión de los pájaros, las gentes,   75
de aire, de flores y de luz ansiosas,
iban a respirar vida y perfumes.
de sus galas más ricas despojado
hoy se levanta el monasterio antiguo
como triste esqueleto. Aquel tan grato   80
silencio misterioso que envolvía
los agrietados muros, a regiones
más dichosas quizás huyó ligero
en busca de un asilo. Las campanas
de eco vibrante y musical resuenan   85
de una manera sorda en el vacío
que sin piedad a su alrededor hicieron

---

[64] N.E.: «... ondas turbias»
[78-83] N.E.: «Ya allí hoy desnudo el monasterio antiguo
        de sus galas más ricas, se levanta
        como triste esqueleto. Aquel gratísimo
        misterioso silencio que envolvía
        sus cenicientos muros, alejóse
        cabizbajo, a regiones más umbrosas»
[87] N.E.: «... alrededor hicieron». M.: «a su alrededor...». Nada

manos extrañas, y el rumor monótono
de la fuente en el claustro solitario
parece sollozar por los jazmines, 90
que, cual la nieve blancos, las cornisas
musgosas adornaban, y parece
triste llamar por la aldeana hermosa
que lavaba sus lienzos en el agua
siempre brillante del pilón de piedra 95
que el roce de sus manos ha gastado
y hoy buscan de otra fuente la frescura.

¡Lo vieron y callaron... con silencio
que causaron asombro y que contrista el alma!

Si allá donde entre rosas y claveles 100
arrastra el Turia sus revueltas ondas,
nuestras manos talasen los jardines
que plantaron los suyos, y aman ellos,
su labio, al rostro, de desprecio llenas
una tras otra injuria nos lanzaran 105
— ¡Bárbaros! —exclamando.
           Y si dijésemos
que rosas y claveles perfumados
no valdrán nunca, pese a su hermosura,
lo que un campo de trigo, y allí en donde
las flores compitieran con las bellas, 110
arrastrando el arado, la amarilla
mies con afán sembráramos.
           —Mezquinos
aún más que torpes son —prorrumpirían

indica que R. suscribiese la forma «alredor» de la primera edición
del libro.
[99] Entre 99 y 100 N.E. ofrece los siguientes versos:

   «Que causa asombro y que contrista el alma
   falta de aliento, al contemplar tan honda
   cruel indiferencia, cual si el hielo
   que apaga el entusiasmo, por sus venas
   perenne circulara, y a la inercia
   egoísta y fatal de los semitas
   por siempre un signo adverso nos atase»

los fieros hijos del jardín de España
con rudo enojo levantando el grito.   115

    Mas nosotros, si talan nuestros bosques
que cuentan siglos... —¡quedan ya tan pocos!—
y ajena voluntad su imperio ejerce
en lo que es nuestro, cosas de la vida
nos parecen quizás vanas y fútiles   120
que a nadie ofenden ni a ninguno importan
si no es al que las hace, a soñadores
que sólo entienden de llorar sin tregua
por los vivos y muertos... y aun acaso
por las hermosas selvas que sin duelo   125
indiferente el leñador destruye.

    —Pero ¿qué...? —alguno exclamará indignado
al oír mis lamentos—. ¿Por ventura
la inmensa torre del reloj se ha hundido
y no hay ya quien señale nuestras horas   130
soñolientas y tardas, como el eco
bronco de su campana formidable;
o en mis haciendas penetrando acaso
osado criminal, ha puesto fuego
a las extensas eras? ¿Por qué gime   135
así importuna esa mujer?
                                Yo inclino
la frente al suelo y contristada exclamo
con el Mártir del Gólgota: *Perdónales,
Señor, porque no saben lo que dicen;*
mas ¡oh, Señor! a consentir no vuelvas   140
que de la helada indiferencia el soplo
apague la protesta en nuestros labios,
que es el silencio hermano de la muerte
y yo no quiero que mi patria muera,
sino que como Lázaro, ¡Dios bueno! ,   145
resucite a la vida que ha perdido;

---

[118] N.E.: «Y ajena voluntad su sello impone»
[122] N.E.: «si no es al que las hace o a soñadores»

y con voz alta que a la gloria llegue,
le diga al mundo que Galicia existe,
tan llena de valor cual tú la has hecho,
tan grande y tan feliz cuanto es hermosa.   150

* * *

23*

I

Unos con la calumnia le mancharon,
otros falsos amores le han mentido,
y aunque dudo si algunos le han querido,
de cierto sé que todos le olvidaron.

Solo sufrió, sin gloria ni esperanza,   5
cuanto puede sufrir un ser viviente;
¿por qué le preguntáis qué amores siente
y no qué odios alientan su venganza?

II

Si para que se llene y se desborde
el inmenso caudal de los agravios,   10
quieren que nunca hasta sus labios llegue
        más que el duro y amargo
pan, que el mendigo con dolor recoge
        y ablanda con su llanto,
sucumbirá por fin, como sucumben   15
        los buenos y los bravos
cuando en batalla desigual les hiere
la mano del cobarde o del tirano.

* Es útil tener en cuenta la correspondiente nota de M. Mayoral: «La segunda parte de este poema figuraba en N.E. como
independiente (...). Desde la primera edición, sin embargo,... se
publicaron unidos.»

Y ellos entonces vivirán dichosos
        su victoria cantando,   20
como el cárabo canta en su agujero
        y la rana en su charco.
Mas en tanto ellos cantan... —¡muchedumbre
que nace y muere en los paternos campos
siempre desconocida y siempre estéril!—   25
triste la patria seguirá llorando,
        siempre oprimida y siempre
de la ruindad y la ignorancia pasto.

* * *

24

En su cárcel de espinos y rosas
cantan y juegan mis pobres niños,
hermosos seres, desde la cuna
por la desgracia ya perseguidos.

En su cárcel se duermen soñando   5
cuán bello es el mundo cruel que no vieron,
cuán ancha la tierra, cuán hondos los mares,
cuán grande el espacio, qué breve su huerto.

Y le envidian las alas al pájaro
que traspone las cumbres y valles,   10
y le dicen: —¿Qué has visto allá lejos,
golondrina que cruzas los aires?

Y despiertan soñando, y dormidos
        soñando se quedan,
que ya son la nube flotante que pasa   15

---

1 N.E.: «En su cárcel llena de zarzas y flores»
6 N.E.: «... el mundo feliz...»
8 N.E.: «... ¡cuán breve su huerto!»
9 N.E.: «Y lo envidian sus alas al pájaro»
15 N.E.: «que ya son la nube ligera que pasa»

o ya son el ave ligera que vuela
tan lejos, tan lejos del nido, cual ellos
de su cárcel ir lejos quisieran.

—¡Todos parten! —exclaman—. ¡Tan sólo,
tan sólo nosotros nos quedamos siempre!   20
¿Por qué quedar, madre, por qué no llevarnos
donde hay otro cielo, otro aire, otras gentes?—

Yo, en tanto, bañados mis ojos, les miro
y guardo silencio, pensando: —En la tierra
¿adónde llevaros, mis pobres cautivos,   25
que no hayan de ataros las mismas cadenas?
Del hombre, enemigo del hombre, no puede
libraros, mis ángeles, la egida materna.

* * *

25

Ya no mana la fuente, se agotó el manantial;
ya el viajero allí nunca va su sed a apagar.

Ya no brota la hierba, ni florece el narciso,
ni en los aires esparcen su fragancia los lirios.

Sólo el cauce arenoso de la seca corriente   5
le recuerda al sediento el horror de la muerte.

¡Mas no importa!; a lo lejos otro arroyo murmura
donde humildes violetas el espacio perfuman.

Y de un sauce el ramaje, al mirarse en las ondas,
tiende en torno del agua su fresquísima sombra.   10

---

16 N.E.: «o ya el ave dichosa que vuela»
23-24 M.: «Yo, en tanto, bañados en llanto mis ojos,
    los miro en silencio, pensando: ... En la tierra»
9 R.: «... al ramaje...», que corrige bien M. («el ramaje»).

El sediento viajero que el camino atraviesa,
humedece los labios en la linfa serena
del arroyo que el árbol con sus ramas sombrea,
y dichoso se olvida de la fuente ya seca.

* * *

26

Cenicientas las aguas, los desnudos
árboles y los montes cenicientos;
parda la bruma que los vela y pardas
las nubes que atraviesan por el cielo;
triste, en la tierra, el color gris domina,   5
  ¡el color de los viejos!

De cuando en cuando de la lluvia el sordo
  rumor suena, y el viento
  al pasar por el bosque
  silba o finge lamentos   10
tan extraños, tan hondos y dolientes
que parece que llaman por los muertos.

Seguido del mastín, que helado tiembla,
  el labrador, envuelto
en su capa de juncos, cruza el monte;   15
  el campo está desierto,
y tan sólo a los charcos que negrean
del ancho prado entre el verdor intenso
posa el vuelo la blanca gaviota,
  mientras graznan los cuervos.   20

  Yo desde mi ventana,
que azotan los airados elementos,

14-15 M.: «el labrador, cubierto
   con...»
17 M.: «... en los charcos...», con una preposición totalmente
adecuada.

regocijada y pensativa escucho
        el discorde concierto
        simpático a mi alma...   25
    ¡Oh, mi amigo el invierno!,
mil y mil veces bien venido seas,
mi sombrío y adusto compañero.
¿No eres acaso el precursor dichoso
del tibio mayo y del abril risueño?   30

    ¡Ah, si el invierno triste de la vida,
como tú de las flores y los céfiros,
también precursor fuera de la hermosa
y eterna primavera de mis sueños...!

                    * * *

                     27

                      I

        Era la última noche,
la noche de las tristes despedidas,
y apenas si una lágrima empañaba
        sus serenas pupilas.
        Como el criado que deja   5
        al amo que le hostiga,
arreglando su hatillo, murmuraba
casi con la emoción de la alegría:

    —¡Llorar! ¿Por qué? Fortuna es que podamos
abandonar nuestras humildes tierras;   10
el duro pan que nos negó la patria,
por más que los extraños nos maltraten,
no ha de faltarnos en la patria ajena.

    Y los hijos contentos se sonríen,
y la esposa, aunque triste, se consuela   15

───────────────
    30-31 La separación en las dos primeras ediciones es la normal
entre verso y verso.

con la firme esperanza
de que el que parte ha de volver por ella.
Pensar que han de partir, ése es el sueño
que da fuerza en su angustia a los que quedan;
cuánto en ti pueden padecer, ¡oh, patria!,   20
¡si ya tus hijos sin dolor te dejan!

II

Como a impulsos de lenta
enfermedad, hoy cien, y cien mañana,
hasta perder la cuenta,
racimo tras racimo se desgrana.   25

Palomas que la zorra y el milano
a ahuyentar van, del palomar nativo
parten con el afán del fugitivo,
y parten quizás en vano.

Pues al posar el fatigado vuelo   30
acaso en el confín de otra llanura,
ven agostarse el fruto que madura,
y el águila cerniéndose en el cielo.

* * *

28

¡VOLVED!

Bien sabe Dios que siempre me arrancan tristes lágrimas
aquellos que nos dejan,
pero aún más me lastiman y me llenan de luto
los que a volver se niegan.

---

24 M.: «de nuestra vida hasta perder la cuenta,»
29 Tanto en R. como en M., «quizás»; no así en C. («quizá»).

¡Partid, y Dios os guíe! ..., pobres deheredados,   5
para quienes no hay sitio en la hostigada tierra;
partid llenos de aliento en pos de otro horizonte,
pero... volved más tarde al viejo hogar que os llama.

Jamás del extranjero el pobre cuerpo inerte,
como en la propia tierra en la ajena descansa.   10

II

Volved, que os aseguro
que al pie de cada arroyo y cada fuente
de linfa trasparente
donde se reflejó vuestro semblante,
y en cada viejo muro   15
que os prestó sombra cuando niños erais
y jugabais inquietos,
y que escuchó más tarde los secretos
del que ya adolescente
o mozo enamorado,   20
en el soto, en el monte y en el prado,
dondequiera que un día
os guió el pie ligero...,
yo os lo digo y os juro
que hay genios misteriosos   25
que os llaman tan sentidos y amorosos
y con tan hondo y dolorido acento,
que hacen más triste el suspirar del viento
cuando en las noches del invierno duro
de vuestro hogar que entristeció el ausente,   30
discurren por los ámbitos medrosos,
y en las eras sollozan silenciosos,
y van del monte al río
llenos de luto y siempre murmurando:
« ¡Partieron...! ¿Hasta cuándo?   35

---

6 M.: «... hostigada patria»
13 M.: «... transparente»

¡Qué soledad! ¿No volverán, Dios mío?»
....
....

Tornó la golondrina al viejo nido,
y al ver los muros y el hogar desierto,
preguntóle a la brisa: —¿Es que se han muerto?
Y ella en silencio respondió: —¡Se han ido   40
    como el barco perdido
que para siempre ha abandonado el puerto!

* * *

29

    Camino blanco, viejo camino,
desigual, pedregoso y estrecho,
donde el eco apacible resuena
del arroyo que pasa bullendo,
y en donde detiene su vuelo inconstante,   5
    o el paso ligero,
de la fruta que brota en las zarzas
buscando el sabroso y agreste alimento,
    el gorrión adusto,
    los niños hambrientos,   10
    las cabras monteses
    y el perro sin dueño...
    Blanca senda, camino olvidado,
¡bullicioso y alegre otro tiempo!,
del que solo y a pie de la vida   15
va andando su larga jornada, más bello
y agradable a los ojos pareces
cuanto más solitario y más yermo.
    Que al cruzar por la ruta espaciosa

10-11 N.E. ofrece, entre estos versos, los dos siguientes:

    «el errante mendigo que vaga,
    al azar sin familia y sin techo»

donde lucen sus trenes soberbios
los dichosos del mundo, descalzo,
sudoroso y de polvo cubierto,
¡qué extrañeza y profundo desvío
infunde en las almas el pobre viajero!

* * *

30

Aún parece que asoman tras del Miranda altivo,
de mayo los albores, ¡y pasó ya setiembre!
Aún parece que torna la errante golondrina,
y en pos de otras regiones ya el raudo vuelo tiende.

Ayer flores y aromas, ayer canto de pájaros   5
y mares de verdura y de doradas mieses;
hoy nubes que sombrías hacia Occidente avanzan,
el brillo del relámpago y el eco del torrente.

Pasó, pasó el verano rápido, como pasa
un venturoso sueño del amor en la fiebre,   10
y ya secas las hojas en las ramas desnudas,
tiemblan descoloridas esperando la muerte.

¡Ah, cuando en esas noches tormentosas y largas
la luna brille a intervalos sobre la blanca nieve,
¡de cuántos, que dichosos ayer la contemplaron,   15
alumbrarán la tumba sus rayos transparentes!

* * *

---

2 M.: «... septiembre»
9-10 Veamos la puntuación en las dos primeras ediciones:

R.: Pasó, pasó el verano, rápido como pasa
     un venturoso sueño de amor en la fiebre.
M.: Pasó, pasó el verano rápido, como pasa
     un venturoso sueño de amor en la fiebre.

Nos atenemos, con reservas, a ésta, que es la que sigue C.
14 R. y M., «intervalos». Pero esclarecedora la nota de M. Mayoral: «Por ser los otros versos de la estrofa alejandrinos, este verso debe leerse con acentuación esdrújula en la palabra *intervalos*. Sale así un hemistiquio regular de siete sílabas métricas.»

31

Cerrado capullo de pálidas tintas,
modesta hermosura de frente graciosa,
¿por quién has perdido la paz de tu alma?,
¿a quién regalaste la miel de tu boca?

A quien te detesta quizás, y le causan   5
enojo tus labios de cándido aroma,
porque busca la rosa encendida
que abre al sol de la tarde sus hojas.

* * *

32

En sus ojos rasgados y azules,
donde brilla el candor de los ángeles,
ver creía la sombra siniestra
    de todos los males.

En sus anchas y negras pupilas,   5
donde luz y tinieblas combaten,
ver creía el sereno y hermoso
resplandor de la dicha inefable.

Del amor espejismos traidores,
    risueños, fugaces...,   10
cuando vuestro fulgor sobrehumano
se disipa... ¡qué densas, qué grandes
son las sombras que envuelven las almas
a quienes con vuestros reflejos cegasteis!

* * *

---

31 *Vid*. nota al poema 56.

33

Fue cielo de su espíritu, fue sueño de sus sueños,
y vida de su vida, y aliento de su aliento;
y fue, desde que rota cayó la venda al suelo,
algo que mata el alma y que envilece el cuerpo.

De la vida en la lucha perenne y fatigosa,   5
siempre el ansia incesante y el mismo anhelo siempre;
que no ha de tener término sino cuando, cerrados,
ya duerman nuestros ojos el sueño de la muerte.

* * *

34

—Te amo...: ¿por qué me odias?
Te odio...: ¿por qué me amas?
Secreto es éste el más triste
y misterioso del alma.

Mas ello es verdad... ¡Verdad   5
dura y atormentadora!
—Me odias, porque te amo;
te amo, porque me odias.

* * *

35

Nada me importa, blanca o negra mariposa,
que dichas anunciándome o malhadadas nuevas,
en torno de mi lámpara o de mi frente en torno,
os agitéis inquietas.

La venturosa copa del placer para siempre   5
rota a mis pies está,

y en la del dolor llena..., ¡llena hasta desbordarse!,
ni penas ni amarguras pueden caber ya más.

36

Muda la luna y como siempre pálida,
mientras recorre la azulada esfera
  seguida de su séquito
  de nubes y de estrellas,
rencorosa despierta en mi memoria   5
yo no sé qué fantasmas y quimeras.

Y con sus dulces misteriosos rayos
derrama en mis entrañas tanta hiel,
que pienso con placer que ella, la *eterna,*
  ha de pasar también.   10

* * *

37

Nos dicen que se adoran la aurora y el crepúsculo,
mas entre el sol que nace y el que triste declina,
medió siempre el abismo que media entre la cuna
  y el sepulcro en la vida.

Pero llegará un tiempo quizás, cuando los siglos 5
no se cuenten y el mundo por siempre haya pasado,
en el que nunca tornen tras de la noche el alba
ni se hunda entre las sombras del sol el tibio rayo.

---

6 La primera estrofa, aquí de seis versos, es, en N.E., así:

> «Muda la luna y como siempre pálida
> mientras recorre su desierto azul,
> rencorosa despierta en mi memoria
> yo no sé que fantasma con su luz»

1 N.E.: «Nos cuentan que se adoran, la aurora y el crepúsculo»

Si de lo eterno entonces en el mar infinito
todo aquello que ha sido ha de vivir más tarde,   10
acaso alba y crepúsculo, si en lo inmenso se encuentran,
en uno se confundan para no separarse.

Para no separarse... ¡Ilusión bienhechora
de inmortal esperanza, cual las que el hombre inventa!
Mas ¿quién sabe si en tanto hacia su fin caminan,   15
como el hombre, los astros con ser eternos sueñan?

* * *

38

Una sombra tristísima, indefinible y vaga
como lo incierto, siempre ante mis ojos va
tras de otra vaga sombra que sin cesar la huye,
          corriendo sin cesar.
Ignoro su destino...; mas no sé por qué temo   5
          al ver su ansia mortal,
que ni han de parar nunca, ni encontrarse jamás.

* * *

39

LAS CANCIONES QUE OYÓ LA NIÑA

UNA

Tras de los limpios cristales
se agitaba la blanca cortina,
y adiviné que tu aliento
          perfumado la movía.

---

[10] En N.E. «ha sido» en cursiva; no así en R. ni en M.

Sola estabas en tu alcoba,   5
y detrás de la tela blanquísima
te ocultabas, ¡cruel!, a mis ojos...,
    mas mis ojos te veían.

Con cerrojos cerraste la puerta,
pero yo penetré en tu aposento   10
a través de las gruesas paredes,
    cual penetran los espectros;
porque no hay para el alma cerrojos,
    ángel de mis pensamientos.

Codicioso admiré tu hermosura,   15
    y al sorprender los misterios
que a mis ojos velabas..., ¡perdóname!,
    te estreché contra mi seno.
Mas... me ahogaba el aroma purísimo
    que exhalabas de tu pecho,   20
    y hube de soltar mi presa
    lleno de remordimiento.

        Te seguiré adonde vayas,
    aunque te vayas muy lejos,
    y en vano echarás cerrojos   25
    para guardar tus secretos;
porque no impedirá que mi espíritu
    pueda llegar hasta ellos.

Pero... ya no me temas, bien mío,
    que, aunque sorprenda tu sueño,   30
    y aunque en tanto estés dormida
a tu lado me tienda en tu lecho,
    contemplaré tu semblante.
    mas no tocaré tu cuerpo,
pues lo impide el aroma purísimo   35
    que se exhala de tu seno.
    Y como ahuyenta la aurora
    los vapores soñolientos
de la noche callada y sombría,
así ahuyenta mis malos deseos.   40

Hoy uno y otro mañana,
rodando, rodando el mundo,
si cual te amé no amaste todavía,
al fin ha de llegar el amor tuyo.

¡Y yo no quiero que llegue!...;   45
ni que ames nunca, cual te amé, a ninguno;
antes que te abras de otro sol al rayo,
véate yo secar, ¡fresco capullo!

* * *

40

LA CANCIÓN QUE OYÓ EN SUEÑOS EL VIEJO

A la luz de esa aurora primaveral, tu pecho
vuelve a agitarse ansioso de gloria y de amor.
¡Loco...!, corre a esconderte en el asilo oscuro
donde ya no penetra la viva luz del sol.

Aquí tu sangre torna a circular activa,   5
y tus pasiones tornan a rejuvenecer...;
huye hacia el antro en donde aguarda resignada
por la infalible muerte, la implacable vejez.

Sonrisa en labio enjuto hiela y repele a un tiempo;
flores sobre un cadáver causan al alma espanto;   10
ni flores, ni sonrisas, ni sol de primavera
busques cuando tu vida llegó triste a su ocaso.

* * *

41

I

Su ciega y loca fantasía corrió arrastrada por el
[vértigo,
tal como arrastra las arenas el huracán en el desierto.

Y cual halcón cae herido en la laguna pestilente,
cayó en el cieno de la vida, rotas las alas para siempre.

Mas, aun sin alas, cree o sueña que cruza el aire,
[los espacios,   5
y aun entre el lodo se ve limpio, cual de la nieve
[el copo blanco.

II

No maldigáis del que, ya ebrio, corre a beber con
[nuevo afán;
su eterna sed es quien le lleva hacia la fuente abra-
[sadora,
cuanto más bebe, a beber más.

No murmuréis del que rendido ya bajo el peso de
[la vida   10
quiere vivir y aun quiere amar;
la sed del beodo es insaciable, y la del alma lo es
[aún más.

III

Cuando todos los velos se han descorrido
y ya no hay nada oculto para los ojos,
ni ninguna hermosura nos causa antojos,   15

---

8 R.: «... frente abrasadora». Creemos que se trata de un lapsus de imprenta, bien subsanado por M.

ni recordar sabemos que hemos querido,
aún en lo más profundo del pecho helado,
como entre las cenizas la chispa ardiente,
con sus puras sonrisas de adolescente,
vive oculto el fantasma del bien soñado.   20

* * *

42

En el alma llevaba un pensamiento,
        una duda, un pesar,
tan grandes como el ancho firmamento
        tan hondos como el mar.

De su alma en lo más árido y profundo,   5
fresca brotó de súbito una rosa,
como brota una fuente en el desierto,
o un lirio entre las grietas de una roca.

* * *

43

Cuando en las nubes hay tormenta
suele también haberla en su pecho;
mas, nunca hay calma en él, aun cuando
la calma reine en tierra y cielo;
porque es entonces cuando, torvos   5
cual nunca, riñen sus pensamientos.

* * *

44

Desbórdanse los ríos si engrosan su corriente
los múltiples arroyos que de los montes bajan;
y cuando de las penas el caudal abundoso

se aumenta con los males perennes y las ansias,
¿cómo contener, cómo, en el labio la queja?,   5
¿cómo no desbordarse la cólera en el alma?

* * *

45

Busca y anhela el sosiego...,
mas... ¿quién le sosegará?
Con lo que sueña despierto,
dormido vuelve a soñar;
que hoy, como ayer y mañana,   5
cual hoy en su eterno afán,
de hallar el bien que ambiciona
—cuando sólo encuentra el mal—
siempre a soñar condenado,
nunca puede sosegar.   10

* * *

46

¡Aturde la confusa gritería
que se levanta entre la turba inmensa!
Ya no saben qué quieren ni qué piden;
mas embriagados de soberbia, buscan
un ídolo o una víctima a quien hieran.   5

Brutales son sus iras,
y aun quizás más brutales sus amores;
no provoquéis al monstruo de cien brazos,
como la ciega tempestad terrible,
ya ardiente os ame o fríamente os odie.   10

* * *

Cuando sopla el Norte duro
y arde en el hogar el fuego,
y ellos pasan por mi puerta
flacos, desnudos y hambrientos,
el frío hiela mi espíritu,   5
como debe helar su cuerpo,
y mi corazón se queda,
al verles ir sin consuelo,
cual ellos, opreso y triste,
desconsolado cual ellos.   10

Era niño y ya perdiera
la costumbre de llorar;
la miseria seca el alma
y los ojos además;
era niño y parecía   15
por sus hechos viejo ya.

Experiencia del mendigo,
era precoz como el mal,
implacable como el odio,
dura como la verdad.   20

* * *

De la vida entre el múltiple conjunto de los seres,
no, no busquéis la imagen de la eterna belleza,
ni en el contento y harto seno de los placeres,
ni del dolor acerbo en la dura aspereza.

Ya es átomo impalpable o inmensidad que asombra,   5
aspiración celeste, revelación callada;
la comprende el espíritu y el labio no la nombra,
y en sus hondos abismos la mente se anonada.

* * *

18 M.: «eres precoz...», que parece más adecuado.

I

Quisiera, hermosa mía,
a quien aun más que a Dios amo y venero,
ciego creer que este tu amor primero,
ser por mi dicha el último podría.
Mas...
   —¡Qué! ¡Gran Dios, lo duda todavía!   5

   —¡Oh!, virgen candorosa,
¿por qué no he de dudarlo al ver que muero
si aun viviendo también lo dudaría?

   —Tu sospecha me ofende,
y tanto me lastima y me sorprende   10
   oírla de tu labio,
   que pienso llegaría
a matarme lo injusto del agravio.

   —¡A matarla! ¡La hermosa criatura
que apenas cuenta quince primaveras...!   15
¡Nunca...! ¡Vive, mi santa, y no te mueras!

—Mi corazón de asombro y dolor llenos.

—¡Ah!, siento más tus penas que mis penas.

—¿Por qué, pues, me hablas de morir?
                        —¡Dios mío!
¿Por qué ya del sepulcro el viento frío   20
lleva mi nave al ignorado puerto?

   —¡No puede ser...! Mas oye: ¡vivo o muerto,
tú solo y para siempre...! Te lo juro.

---

[17] R.: «—Mi corazón, de asombro y dolor llenos.»
  M.: «—Mi corazón de asombro y dolor llenas.»
Parece preferible la versión de M.

—No hay por qué jurar; mas si tan bello
sueño al fin se cumpliera, sin enojos   25
cerrando en paz los fatigados ojos,
fuera a esperarte a mi sepulcro oscuro.
Pero... es tan inconstante y tan liviano
el flaco y débil corazón humano,
que lo pienso, alma mía, y te lo digo,   30
serás feliz más tarde o más temprano.

Y en tanto ella llorando protestaba,
y él sonriendo, irónico y sombrío,
en sus amantes brazos la estrechaba.

Cantaba un grillo en el vecino muro,   35
      y, cual mudo testigo,
la luna, que en el cielo se elevaba,
      sobre ambos reflejaba
su fulgor siempre casto y siempre amigo.

II

De polvo y fango nacidos,   40
fango y polvo nos tornamos:
¿por qué, pues, tanto luchamos
si hemos de caer vencidos?

Cuando esto piensa humilde y temerosa,
      como tiembla la rosa   45
      del viento al soplo airado,
tiembla y busca el rincón más ignorado
para morir en paz si no dichosa.

III

Los astros son innúmeros, al cielo
      no se le encuentra fin,   50
y este pequeño mundo que habitamos,

y que parece un punto en el espacio,
  inmenso es para mí.

  Después... tantos y tantos,
cual las arenas del profundo mar,   55
seres que nacen a la vida, y seres
que sin parar su rápida carrera,
incierta siempre, vienen o se van.

  Que se van o se mueren, esta duda
   es en verdad cruel;   60
pero ello es que nos vamos o nos dejan,
sin saber si después de separarnos
volveremos a hallarnos otra vez.

IV

  Y como todo al cabo
tarde o temprano en este mundo pasa,   65
lo que al principio eterno parecía,
   dio término a la larga.
  ¿Le mataron acaso, o es que se ha muerto
de suyo aquello que quedará aún vivo?
Imposible es saberlo, como nadie   70
   sabe al quedar dormido,
en qué momento ha aprisionado el sueño
   sus despiertos sentidos.

V

  ¡Que cuándo le ha olvidado!
¿Quién lo recuerda en la mudable vida,   75
ni puede asegurar si es que la herida
  del viejo amor con otro se ha curado?

  ¡Transcurrió el tiempo! —inevitable era
que transcurriese—, y otro amante vino

a hacerse cauteloso su camino 80
por donde el muerto amante ya lo hiciera.

VI

De pronto el corazón con ansia extrema,
mezclada a un tiempo de placer y espanto,
latió, mientras su labio murmuraba:
— ¡No, los muertos no vuelven de sus antros...! 85

Él era y no era él, mas su recuerdo,
dormido en lo profundo
del alma, despertóse con violencia
rencoroso y adusto.

—No soy yo, ¡pero soy! —murmuró el viento—, 90
y vuelvo, amada mía,
desde la eternidad para dejarte
ver otra vez mi incrédula sonrisa.

— ¡Aún has de ser feliz! —te dije un tiempo,
cuando me hallaba al borde de la tumba—. 95
Aún has de amar—; y tú, con fiero enojo,
me respondiste: — ¡Nunca!

— ¡Ah!, ¿del mudable corazón has visto
los recónditos pliegues?—
volví a decirte; y tú, llorando a mares, 100
repetiste: —Tú solo, y para siempre.

Después, era una noche como aquéllas.
y un rayo de la luna, el mismo acaso
que a ti y a mí nos alumbró importuno,
os alumbraba a entrambos. 105

Cantaba un grillo en el vecino muro,
y todo era silencio en la campiña;
¿no te acuerdas, mujer? Yo vine entonces,
sombra, remordimiento o pesadilla.

123

Mas tú, engañada recordando al muerto,　　　110
pero también del vivo enamorada,
te olvidaste del cielo y de la tierra
　　　y condenaste el alma.

　　　Una vez, una sola,
aterrada volviste de ti misma,　　　115
como para sentir mejor la muerte
de la sima al caer vuelve la víctima.

Y aun entonces, ¡extraño cuanto horrible
　　　reflejo del pasado!,
el abrazo convulso de tu amante　　　120
te recordó, mujer, nuestros abrazos.

　—¡Aún has de ser feliz! —te dije un tiempo
　　　y me engañé; no puede
serlo quien lleva la traición por guía,
y a su sombra mortífera se duerme.　　　125

　—¡Aún has de amar! —te repetí, y amaste,
　　　y protector asilo
diste, desventurada, a una serpiente
en aquel corazón que fuera mío.

Emponzoñada estás, odios y penas　　　130
　　　te acosan y persiguen,
y yo casi con lástima contemplo
tu pecado y tu mancha irredimibles.

¡Mas, vengativo, al cabo yo te amaba
ardientemente, yo te amo todavía!　　　135
　　　Vuelvo para dejarte
ver otra vez mi incrédula sonrisa.

* * *

---
135 M.: «ardientemente, y te amo todavía!»

50

I

En mi pequeño huerto
brilla la sonrosada margarita,
 tan fecunda y humilde,
 como agreste y sencilla.

Ella borda primores en el césped,   5
 y finge maravillas
entre el fresco verdor de las praderas
do proyectan sus sombras las encinas,
y a orillas de la fuente y del arroyo
que recorre en silencio las umbrías.   10

Y aun cuando el pie la huella, ella revive
y vuelve a levantarse siempre limpia,
a semejanza de las almas blancas
que en vano quiere ennegrecer la envidia.

II

Cuando llega diciembre y las lluvias abundan,   15
ellas con las acacias tornan a florecer,
tan puras y tan frescas y tan llenas de aroma
como aquellas que un tiempo con fervor adoré.

¡Loca ilusión la mía es en verdad, bien loca
cuando mi propia mano honda tumba les dio!   20
Y ya no son aquellas en cuyas hojas pálidas
deposité mis besos..., ni yo la misma soy.

* * *

Todas las campanas con eco pausado
       doblaron a muerto:
las de la basílica, las de las iglesias,
       las de los conventos.
Desde el alba hasta entrada la noche   5
no cesó el funeral clamoreo.
       ¡Qué pompa! ¡Qué lujo!
       ¡Qué fausto! ¡Qué entierro!

Pero no hubo ni adioses ni lágrimas
ni suspiros en torno del féretro...   10
¡Grandes voces sí que hubo! Y cantáronle,
cuando le enterraron, un *réquiem* soberbio.

* * *

       Siente unas lástimas,
       ¡pero qué lástimas!
Y tan extrañas y hondas ternuras...,
       ¡pero qué extrañas!

       Llora a mares por ellos,   5
       les viste la mortaja
       y les hace las honras...
       después de que los mata.

* * *

8-9 En R. y M., separación grande, que resalta un guión (—).

53

De la noche en el vago silencio,
cuando duermen o sueñan las flores,
mientras ella despierta, combate
contra el fuego de ocultas pasiones,
y de su ángel guardián el auxilio   5
implora invocando piadosa su nombre.
El de ayer, el de hoy, el de siempre,
fiel amigo del alma, Mefistófeles,
en los hilos oculto del lino
finísimo y blanco cual copo de espuma,   10
en donde ella aún más blanca reclina
          la cabeza rubia,
así astuto y sagaz, al oído
de la hermosa en silencio murmura:

    «Goza aquél de la vida, y se ríe   15
y peca sin miedo del hoy y el mañana,
mientras tú con ayunos y rezos
y negros terrores tus horas amargas.
    Si del hombre la vida en la tumba
          ¡oh, bella!, se acaba,   20
¡qué profundo y cruel desengaño,
          qué chanza pesada
          te juega la suerte,
          le espera a tu alma!»

                    * * *

54

A la sombra te sientas de las desnudas rocas,
y en el rincón te ocultas donde zumba el insecto,
y allí donde las aguas estancadas dormitan

---

⁴ N.E.: «... de internas pasiones»
⁸ R. y M. sitúan la palabra «Mefistófeles» en la línea siguiente,
si bien como segunda parte del verso «fiel amigo del mal».
¹² N.E.: «su rubia cabeza»

y no hay hermanos seres que interrumpan tus sueños,
¡quién supiera en qué piensas, amor de mis amores,   5
cuando con leve paso y contenido aliento,
temblando a que percibas mi agitación extrema,
allí donde te escondes, ansiosa te sorprendo!

—¡Curiosidad maldita!, frío aguijón que hieres
las femeninas almas, los varoniles pechos;   10
tu fuerza impele al hombre a que busque la hondura
del desencanto amargo y a que remueva el cieno
donde se forman siempre los miasmas infectos.

—¿Qué has dicho de amargura y cieno y desencanto?
¡Ah! No pronuncies frases, mi bien, que no com-
                                          [prendo;   15
dime sólo en qué piensas cuando de mí te apartas
y huyendo de los hombres vas buscando el silencio.

—Pienso en cosas tan tristes a veces y tan negras,
y en otras tan extrañas y tan hermosas pienso,
que... no lo sabrás nunca, porque lo que se ignora   20
no nos daña si es malo, ni perturba si es bueno.
Yo te lo digo, niña, a quien de veras amo;
encierra el alma humana tan profundos misterios,
que cuando a nuestros ojos un velo los oculta,
es temeraria empresa descorrer ese velo;   25
no pienses, pues, bien mío, no pienses en qué pienso.

—Pensaré noche y día, pues sin saberlo, muero.

Y cuenta que lo supo, y que la mató entonces
    la pena de saberlo.

* * *

⁴ M.: «... humanos seres...»
²⁰ M.: «... no las sabrás...»

55

Cuido una planta bella
que ama y busca la sombra,
como la busca un alma
huérfana, triste, enamorada y sola,
y allí donde jamás la luz del día   5
llega sino a través de las umbrosas
ramas de un mirto y los cristales turbios
de una ventana angosta,
ella vive tan fresca y perfumada,
y se torna más bella y más frondosa,   10
y languidece y se marchita y muere
cuando un rayo de sol besa sus hojas.

———————

Para el pájaro el aire, para el musgo la roca,
los mares para el alga, mayo para las rosas;
que todo ser o planta va buscando   15
su natural atmósfera,
y sucumbe bien pronto si es que a ella
oculta mano sin piedad la roba.

———————

Sólo el humano espíritu al rodar desquiciado
desde su órbita a mundos tristes y desolados,   20
ni sucumbe ni muere; que del dolor el mazo
fuerte, que abate el polvo y que quebranta el barro
mortal, romper no puede ni desatar los lazos
que con lo eterno le unen por misterioso arcano.

———————

Por eso yo que anhelo que el refulgente astro   25
del día calor preste a mis miembros helados,
aún aliento y resisto sin luz y sin espacio,
como la planta bella que odia del sol el rayo.
Ya que otra luz más viva que la del sol dorado

———————

1 M.: «cuido que una planta bella»
3 M.: «... el alma»
9-10 N.E.: «mientras yo palidezco
            ella se torna hermosa»
29 N.E.: «Y es que, otra luz más viva, que la del sol dorado»

y otro calor más dulce en mi alma penetrando   30
me anima y me sustenta con su secreto halago
y da luz a mis ojos por el dolor cegados.

* * *

56

I

En los ecos del órgano o en el rumor del viento,
en el fulgor de un astro o en la gota de lluvia,
teadivinaba en todo y en todo te buscaba,
    sin encontrarte nunca.

Quizás después te ha hallado, te ha hallado y te
                           [ha perdido 5
otra vez, de la vida en la batalla ruda,
ya que sigue buscándote y te adivina en todo,
    sin encontrarte nunca.

Pero sabe que existes y no eres vano sueño,
hermosura sin nombre, pero perfecta y única;   10
por eso vive triste, porque te busca siempre
    sin encontrarte nunca.

II

Yo no sé lo que busco eternamente
en la tierra, en el aire y en el cielo;
yo no sé lo que busco, pero es algo   15
que perdí no sé cuándo y que no encuentro,

13-22 En N.E. la segunda parte de este poema pertenecía a una
serie «numerada» así:

  I   Cerrado capullo de pálidas tintas (31)
 II   En sus ojos rasgados y azules (32)
III   Fue cielo de su espíritu, fue sueño de sus sueños (33)

aun cuando sueñe que invisible habita
en todo cuanto toco y cuanto veo.

Felicidad, no he volver a hallarte
en la tierra, en el aire ni en el cielo,   20
¡aun cuando sé que existes
y no eres vano sueño!

* * *

57

SANTA ESCOLÁSTICA

I

Una tarde de abril, en que la tenue
llovizna triste humedecía en silencio
de las desiertas calles las baldosas,
mientras en los espacios resonaban
las campanas con lentas vibraciones,   5
dime a marchar, huyendo de mi sombra.

Bochornoso calor que enerva y rinde,
si se cierne en la altura la tormenta,

IV   Te amo... ¿por qué me odias? (34)
V   No sé que ando buscando eternamente (56, II)
VI   Nada me importa, blanca o negra mariposa (35)
VII   Muda la luna y como siempre pálida (36)
VIII Nos cuentan que se adoran, la aurora y el crepúsculo (37)
IX   Una sombra tristísima, indefinible y vaga (38)
Consigno en arábigo la numeración de nuestra edición. En N.E.
el poema constaba de ocho versos (carecía de 21 y 22). En cuanto al primero, presentaba esta redacción: «No sé que ando buscando eternamente»
19 Así en R. y M. ¿Calco del gallego «non hei volver»? En C. leemos: «... no he de volver...»

tornara el aire irrespirable y denso.
Y el alma ansiosa y anhelante el pecho   10
a impulsos del instinto iban buscando
puro aliento en la tierra y en el cielo.

Soplo mortal creyérase que había
dejado el mundo sin piedad desierto,
convirtiendo en sepulcro a Compostela.   15
Que en la santa ciudad, grave y vetusta,
no hay rumores que turben importunos
la paz ansiada en la apacible siesta.

II

— ¡Cementerio de vivos! —murmuraba
yo al cruzar por las plazas silenciosas   20
que otros días de glorias nos recuerdan.
¿Es verdad que hubo aquí nombres famosos,
guerreros indomables, grandes almas?
¿Dónde hoy su raza varonil alienta?

La airosa puerta de Fonseca, muda,   25
me mostró sus estatuas y relieves
primorosos, encanto del artista;
y del gran Hospital, la incomparable
obra del genio, ante mis tristes ojos
en el espacio dibujóse altiva.   30

Después la catedral palacio místico
de atrevidas románicas arcadas,
y con su Gloria de bellezas llena

---

9 Preferimos «tornara» de M. y no «tornará» de R., lapsus tipográfico probablemente. Nuestro «tornara», galleguismo, ha de
interpretarse como pretérito pluscuamperfecto de indicativo («había tornado»). Quisiera señalar que no es totalmente descartable
el futuro («tornará»).

24 M.: «... tu raza...»

26-27 M.: «... estatuas y columnas primorosas, ...»

me pareció al mirarla que quería
sobre mi frente desplomar, ya en ruinas,   35
de sus torres la mole gigantesca.

Volví entonces el rostro, estremecida,
hacia donde atrevida se destaca
del Cebedeo la celeste imagen,
como el alma del mártir, blanca y bella,   40
y vencedora en su caballo airoso,
que galopando en triunfo rasga el aire.

Y bajo el arco oscuro, en donde eterno
del oculto torrente el rumor suena,
me deslicé cual corza fugitiva,   45
siempre andando al azar, con aquel paso
errante del que busca en donde pueda
de sí arrojar el peso de la vida.

Atrás quedaba aquella calle adusta,
camino de los frailes y los muertos,   50
siempre vacía y misteriosa siempre,
con sus manchas de sombra gigantescas
y sus claros de luz, que hacen más triste
la soledad, y que los ojos hieren.

Y en tanto... la llovizna, como todo   55
lo manso, terca, sin cesar regaba
campos y plazas, calles y conventos
que iluminaba el sol con rayo oblicuo
a través de los húmedos vapores,
blanquecinos a veces, otras negros.   60

III

Ciudad extraña, hermosa y fea a un tiempo,
a un tiempo apetecida y detestada,

---

54 M.: «su soledad...»

cual ser que nos atrae y nos desdeña:
algo hay en ti que apaga el entusiasmo,
y del mundo feliz de los ensueños   65
a la aridez de la verdad nos lleva.
¡De la verdad! ¡Del asesino honrado
que impasible nos mata y nos entierra!
... ...

    ¡Y yo quería morir! La sin entrañas,
sin conmoverse, me mostrara el negro   70
y oculto abismo que a mis pies abrieran;
y helándome la sangre, fríamente,
de amor y de esperanza me dejara,
con sólo un golpe, para siempre huérfana.

    « ¡La gloria es humo! El cielo está tan alto   75
y tan bajos nosotros, que la tierra
que nos ha dado volverá a absorbernos.
Afanarse y luchar, cuando es el hombre
mortal ingrato y nula la victoria.
¿Por qué, aunque haya Dios, vence el infierno?» 80

    Así del dolor víctima, el espíritu
se rebelaba contra cielo y tierra...
mientras mi pie inseguro caminaba;
cuando de par en par vi abierto el templo,
de fieles despoblado, y donde apenas   85
su resplandor las lámparas lanzaban.

IV

Majestad de los templos, mi alma femenina
te siente, como siente las maternas dulzuras,
las inquietudes vagas, las ternuras secretas
y el temor a lo oculto tras de la inmensa altura.   90

---

80 M.: «¿porqué, ya que hay Dios, vence el infierno?»
90 M.: «... tras la inmensa altura»

¡Oh, majestad sagrada! En nuestra húmeda tierra
más grande eres y augusta que en donde el sol ardiente
inquieta con sus rayos vivísimos las sombras
que al pie de los altares oran, velan o duermen.

Bajo las anchas bóvedas, mis pasos silenciosos   95
resonaron con eco armonioso y pausado,
cual resuena en la gruta la gota cristalina
que lenta se desprende sobre el verdoso charco.

Y aun más que los acentos del órgano y la música
sagrada, conmovióme aquel silencio místico   100
que llenaba el espacio de indefinidas notas,
tan sólo perceptibles al conturbado espíritu.

Del incienso y la cera el acusado aroma
que impregnaba la atmósfera que allí se respiraba,
no sé por qué, de pronto, despertó en mis sentidos   105
de tiempos más dichosos reminiscencias largas.

Y mi mirada inquieta, cual buscando refugio
para el alma, que sola luchaba entre tinieblas,
recorrió los altares, esperando que acaso
algún rayo celeste brillase al fin en ella.   110

Y... ¡no fue vano empeño ni ilusión engañosa!
Suave, tibia, pálida la luz rasgó la bruma
y penetró en el templo, cual entre la alegría
de súbito en el pecho que las penas anublan.

¡Ya ya no estaba sola! ... En armonioso grupo,   115
como visión soñada, se dibujó en el aire
de un ángel y una santa el contorno divino,
que en un nimbo envolvía vago el sol de la tarde.

Aquel candor, aquellos delicados perfiles
de celestial belleza, y la inmortal sonrisa   120

---

[107] M.: «Y la mirada...»

que hace entreabrir los labios del dulce mensajero
mientras contempla el rostro de la virgen dormida

En el sueño del éxtasis, y en cuya frente casta
se transparenta el fuego del amor puro y santo,
más ardiente y más hondo que todos los amores   125
que pudo abrigar nunca el corazón humano;

Aquel grupo que deja absorto el pensamiento,
que impresiona el espíritu y asombra la mirada,
me hirió calladamente, como hiere los ojos
cegados por la noche la blanca luz del alba.   130

Todo cuanto en mí había de pasión y ternura,
de entusiasmo ferviente y gloriosos empeños,
ante el sueño admirable que realizó el artista,
volviendo a tomar vida, resucitó en mi pecho.

Sentí otra vez el fuego que ilumina y que crea   135
los secretos anhelos, los amores sin nombre,
que como al arpa eólica el viento, al alma arranca
sus notas más vibrantes, sus más dulces canciones.

Y orando y bendiciendo al que es todo hermosura,
se dobló mi rodilla, mi frente se inclinó   140
ante Él, y conturbada, exclamé de repente:
«¡Hay arte! ¡Hay poesía…! Debe haber cielo. ¡Hay
                                               [Dios!»

* * *

58

Dicen que no hablan las plantas, ni las fuentes, ni
                                        [los pájaros,
ni el onda con sus rumores, ni con su brillo los astros:
lo dicen, pero no es cierto, pues siempre cuando yo
                                              [paso

---

124 R.: «se transparentan…»
137 M.: «… arrancan»

de mí murmuran y exclaman:

     —Ahí va la loca, soñando
con la eterna primavera de la vida y de los campos, 5
y ya bien pronto, bien pronto, tendrá los cabellos
      [canos,
y ve temblando, aterida, que cubre la escarcha el
      [prado.

—Hay canas en mi cabeza, hay en los prados es-
      [carcha;
mas yo prosigo soñando, pobre, incurable sonámbula,
con la eterna primavera de la vida que se apaga 10
y la perenne frescura de los campos y las almas,
aunque los unos se agostan y aunque las otras se
      [abrasan.

Astros y fuentes y flores, no murmuréis de mis
      [sueños;
sin ellos, ¿cómo admiraros, ni cómo vivir sin ellos?

* * *

59

Cada vez que recuerda tanto oprobio,
cada vez digo ¡y lo recuerda siempre!...
  avergonzada su alma
quisiera en el no ser desvanecerse,
  como la blanca nube 5
en el espacio azul se desvanece.

¡Recuerdo...: lo que halaga hasta el delirio
o da dolor hasta causar la muerte!...
  no, no es sólo recuerdo
  sino que es juntamente 10
el pasado, el presente, el infinito,
lo que fue, lo que es y ha de ser siempre.

* * *

137

60*

Recuerda el trinar del ave
y el chasquido de los besos,
los rumores de la selva
cuando en ella gime el viento,
y del mar las tempestades,   5
y la bronca voz del trueno;
todo halla un eco en las cuerdas
del arpa que pulsa el genio.

Pero aquel sordo latido
del corazón que está enfermo   10
de muerte, y que de amor muere
y que resuena en el pecho
como un bordón que se rompe
dentro de un sepulcro hueco,
es tan triste y melancólico,   15
tan terrible y tan supremo,
que jamás el genio pudo
repetirlo con sus ecos.

* * *

61

Del mar azul las transparentes olas
      mientras blandas murmuran
sobre la arena, hasta mis pies rodando,
tentadoras me besan y me buscan.

Inquietas lamen de mi planta el borde,   5
lánzanme airosas su nevada espuma,
y pienso que me llaman, que me atraen
      hacia sus salas húmedas.

---

* Como continuación del 59, y no como poema independiente,
figura en la segunda edición, error seguido en otras.

Mas cuando ansiosa quiero
seguirlas por la líquida llanura,   10
se hunde mi pie en la linfa transparente
    y ellas de mí se burlan.
Y huyen abandonándome en la playa
a la terrena, inacabable lucha,
como en las tristes playas de la vida   15
me abandonó inconstante la fortuna.

* * *

62

Si medito en tu eterna grandeza,
    buen Dios, a quien nunca veo,
y levanto asombrada los ojos
    hacia el alto firmamento,
que llenaste de mundos y mundos...,   5
    toda conturbada, pienso
que soy menos que un átomo leve
    perdido en el universo;
nada, en fin..., y que al cabo en la nada
    han de perderse mis restos.   10

Mas si cuando el dolor y la duda
    me atormentan, corro al templo,
y a los pies de la Cruz un refugio
busco ansiosa implorando remedio,
de Jesús el cruento martirio   15
    tanto conmueve mi pecho,
y adivino tan dulces promesas
    en sus dolores acerbos,
que cual niño que reposa
    en el regazo materno,   20
    después de llorar, tranquila
    tras la expiación, espero
    que allá donde Dios habita
    he de proseguir viviendo.

* * *

Los que a través de sus lágrimas,
sin esfuerzo ni violencia,
abren paso en el alma afligida
al nuevo placer que llega;

Los que tras de las fatigas   5
de una existencia azarosa,
al dar término al rudo combate
cogen larga cosecha de gloria;

Y, en fin, todos los dichosos,
cuyo reino es de este mundo,   10
y dudando o creyendo en el otro
de la tierra se llevan los frutos;

¡Con qué tedio oyen el grito
del que en vano ha querido y no pudo
arrojar de sus hombros la carga   15
pesada del infortunio!

—Cada cual en silencio devore
sus penas y sus afanes
—dicen—, que es de animosos y fuertes
el callar, y es la queja cobarde.   20

No el lúgubre vaticinio
que el espíritu turba y sorprende,

---

8 M.E.: «... harta cosecha...»
8-9 Entre estos dos versos en N.E. se intercalan estos cuatro:

«y después de estrecheces y de angustias,
de la abundancia en el seno,
nadan y gozan y duermen,
sin temer ni al demonio, ni al cielo»

17-28 Entrecomillado en N.E.

ni el inútil y eterno lamento
importuno en los aires resuene.

¡Poeta!, en fáciles versos,   25
y con estro que alienta los ánimos,
      ven a hablarnos de esperanzas,
      pero no de desengaños.

II

¡Atrás, pues, mi dolor vano con sus acerbos ge-
                                              [midos
que en la inmensidad se pierden, como los sordos
                                          [bramidos 30
del mar en las soledades que el líquido amargo llena!
¡Atrás!, y que el denso velo de los inútiles lutos,
rasgándose, libre paso deje al triunfo de los Brutos
que asesinados los Césares, ya ni dan premio ni
                                            [pena...

Pordiosero vergonzante que en cada rincón de-
                                          [sierto 35
tendiendo la enjuta mano detiene su paso incierto

24-25 Entre estos dos versos se intercalan en N.E. los cuatro
siguientes:

> «La mirada impasible y serena,
> siempre fija en el vasto horizonte,
> donde brillan con rayo propicio
> del porvenir los albores».

26 N.E.: «... aliente...»
28 N.E.: «pero no de funestos presagios»
28-29 Entre estos dos versos hay en N.E. estas dos estrofas:

> «Así enojado prorrumpe
> desde la dichosa altura,
> el que ahíto y contento, los ayes
> del desventurado escucha.
> Y de él, se parta y reniega
> porque a sus ojos no oculta
> en sucios harapos envuelto,
> la miseria que le abruma»

29 N.E.: «... con tus acerbos gemidos»
36 N.E.: «... la mano enjuta...»

para entonar la salmodia, que nadie escucha ni en-
[tiende,
me pareces, dolor mío, de quien reniego en buen
[hora.
¡Huye, pues, del alma enferma! Y tú, nueva y
[blanca aurora,
toda de promesas harta, sobre mí tus rayos tiende.   40

III

¡Pensamientos de alas negras!, huid, huid azorados,
como bandada de cuervos por la tormenta acosados,
o como abejas salvajes en quien el fuego hizo presa;
dejad que amanezca el día de resplandores benditos
en cuya luz se presienten los placeres infinitos...   45
¡y huid con vuestra perenne sombra que en el alma
[pesa!

¡Pensamientos de alas blancas!, ni gimamos ni
[roguemos
como un tiempo, y en los mundos luminosos pene-
[tremos
en donde nunca resuena la débil voz del caído,
en donde el dorado sueño para en realidad segura,   50
y de la humana flaqueza sobre la inmensa amargura
y sobre el amor que mata, sus alas tiende el olvido.

Ni el recuerdo que atormenta con horrible pesa-
[dilla,
ni la pobreza que abate, ni la miseria que humilla,
ni de la injusticia el látigo, que al herir mancha y
[condena   55

---

⁴⁵ N.E.: «... se adivinan...»
⁴⁷ N.E.: «... blancas... divaguemos, divaguemos»
⁴⁹ N.E.: «... la triste voz del vencido»
⁵¹ N.E.: «... intensa amargura»
⁵³ N.E.: «... negra pesadilla»
⁵⁵ N.E.: «... que hiriendo mancha...»

ni la envidia y la calumnia más que el fuego aso-
[ladoras
existen para el que siente que se deslizan sus horas
del contento y la abundancia por la corriente serena.

Allí, donde nunca el llanto los párpados enrojece,
donde por dicha se ignora que la humanidad padece   60
y que hay seres que codician lo que harto el perro
[desdeña;
allí, buscando un asilo, mis pensamientos dichosos
a todo pesar ajenos, lejos de los tenebrosos
antros del dolor, cantemos a la esperanza risueña.

Frescas voces juveniles, armoniosos instrumentos,   65
¡venid!, que a vuestros acordes yo quiero unir mis
[acentos
vigorosos, y el espacio llenar de animadas notas,
y entre estatuas y entre flores, entrelazadas las manos,
danzar en honor de todos los venturosos humanos
del presente, del futuro y las edades remotas.   70

IV

Y mi voz, entre el concierto de las graves sinfonías,
de las risas lisonjeras y las locas alegrías,
se alzó robusta y sonora con la inspiración ardiente
que enciende en el alma altiva del entusiasmo la llama,
y hace creer al que espera y hace esperar al que ama   75
que hay un cielo en donde vive el amor eternamente.

Del labio amargado un día por lo acerbo de los males,
como de fuente abundosa fluyó la miel a raudales,
vertiéndose en copas de oro que mi mano orló de rosas,

_____
58 N.E.: «... en la atmósfera serena»
60 N.E.: «... por suerte...»
72 N.E.: «... risas seductoras...»
76 N.E.: «... dura el amor...»
79 N.E.: «... que orló mi mano...»

y bajo de los espléndidos y ricos artesonados,   80
en los palacios inmensos y los salones dorados,
fui como flor en quien beben perfumes las mariposas.

Los aplausos resonaban con estruendo en torno mío,
como el vendaval resuena cuando se desborda el río
por la lóbrega encañada que adusto el pinar som-
                                                    [brea; 85
genio supremo y sublime del porvenir me aclamaron,
y trofeos y coronas a mis plantas arrojaron,
como a los pies del guerrero vencedor en la pelea.

                           V

Mas un día, de aquel bello y encantado paraíso
donde con tantas victorias la suerte brindarme quiso,   90
volví al mundo desolado de mis antiguos amores,
cual mendigo que a su albergue torna de riquezas lleno;
pero al verme los que ausente me lloraron, de su seno
me rechazaron cual suele rechazarse a los traidores.

Y con agudos silbidos y entre sonrisas burlonas,   95
renegaron de mi numen y pisaron mis coronas,
de sus iras envolviéndome en la furiosa tormenta;
y sombrío y cabizbajo como Caín el maldito,
el execrable anatema llevando en la frente escrito,
refugio busqué en la sombra para devorar mi afrenta.   100

---

86 N.E.: «genio brillante...»
92 N.E.: «... a un albergue...»
94 N.E.: «rechazáronme...»
94-95 Entre estos dos versos hay en N.E. los siguientes:

«Las multitudes innúmeras, que se empujan y se aprietan
en el fondo indefinido, donde apiñadas vegetan,
¡pobres plantas que en la sima, aire y luz buscan en vano!
Esas dijeron: "—Ahí torna el que la soberbia halaga
del dichoso, y las pasiones, mientras que abierta la llaga
pestilente, mana sangre en el pecho de su hermano"»
96 N.E.: «...mi estro...»

LAS CAMPANAS

o las amo, yo las oigo
Cual oigo el rumor del viento,
El murmurar de la fuente
O el balido del cordero.

Como los pájaros, ellas
Tan pronto asoma en los cielos
El primer rayo del alba;
Le saludan con sus ecos.

Y en sus notas, que van repitiéndose
Por los llanos y los cerros,
Hay algo de candoroso,
De apacible y de halagüeño.

Si por siempre enmudecieran,
¡Qué tristeza en el aire y el cielo!
¡Qué silencio en las iglesias!
¡Qué extrañeza entre los muertos!

VI

No hay mancha que siempre dure, ni culpa que
                                    [perdonada
deje de ser, si con llanto de contrición fue regada;
así cuando de la mía se borró el rastro infamante,
como en el cielo se borra el de la estrella que pasa,
pasé yo entre los mortales como el pie sobre la brasa, 105
sin volver atrás los ojos ni mirar hacia adelante.

Y a mi corazón le dije: «Si no es vano tu ardimiento
y en ti el manantial rebosa del amor y el sentimiento,
fuentes en donde el poeta apaga su sed divina,
sé tú mi musa, y cantemos sin preguntarle a las
                                    [gentes   110
si aman las alegres trovas o los suspiros dolientes,
si gustan del sol que nace o buscan al que declina.»

* ** *

64

Mientras el hielo las cubre
con sus hilos brillantes de plata,
todas las plantas están ateridas,
ateridas como mi alma.

Esos hielos para ellas   5
son promesa de flores tempranas,
son para mí silenciosos obreros
que están tejiéndome la mortaja.

* * *

---

101 N.E.: «No hay mancha que eterna dure, ni pena que redimida»
102 N.E.: «... si la lava, el llanto del fratricida»
103 N.E.: «así cuando de mi culpa se borró»
106 N.E.: «... sin mirar hacia...»
110-113 N.E.:

«sé tú mi musa, y cantemos sin preguntar a la gente
si amo las alegres trovas, o si la queja doliente,
si gusta del sol que nace o busca el sol que declina»

Pensaban que estaba ocioso
en sus prisiones estrechas,
y nunca estarlo ha podido
quien firme al pie de la brecha,
en guerra desesperada   5
contra sí mismo pelea.

Pensaban que estaba solo,
y no lo estuvo jamás
el forjador de fantasmas,
que ve siempre en lo real   10
lo falso, y en sus visiones
la imagen de la verdad.

* * *

66

Brillaban en la altura, cual moribundas chispas,
        las pálidas estrellas,
y abajo..., muy abajo, en la callada selva,
sentíanse en las hojas próximas a secarse,
        y en las marchitas hierbas,   5
algo como estallidos de arterias que se rompen
        y huesos que se quiebran.
¡Qué cosas tan extrañas finge una mente enferma!

        Tan honda era la noche,
        la oscuridad tan densa,   10
        que, ciega la pupila,
        si se fijaba en ella,
creía ver brillando entre la espesa sombra
como en la inmensa altura las pálidas estrellas.
¡Qué cosas tan extrañas se ven en las tinieblas!   15

    En su ilusión, creyóse por el vacío envuelto,
        y en él queriendo hundirse

y girar con los astros por el celeste piélago,
fue a estrellarse en las rocas, que la noche ocultaba
        bajo su manto espeso.   20

* * *

67

Son los corazones de algunas criaturas
como los caminos muy transitados,
  donde las pisadas de los que ahora llegan,
borran las pisadas de los que pasaron:
no será posible que dejéis en ellos,   5
de vuestro cariño, recuerdo ni rastro.

* * *

68

        Al oír las canciones
        que en otro tiempo oía,
del fondo en donde duermen mis pasiones
        el sueño de la nada,
pienso que se alza irónica y sombría   5
        la imagen ya enterrada
de mis blancas y hermosas ilusiones,
para decirme:
                — ¡Necia!, lo que es ido
¡no vuelve!; lo pasado se ha perdido
como en la noche va a perderse el día,   10
ni hay para la vejez resurrecciones...

        ¡Por Dios, no me cantéis esas canciones
        que en otro tiempo oía!

* * *

Vosotros que del cielo que forjasteis
vivís como Narciso enamorados,
no lograréis cambiar de la criatura
en su esencia, la misma eternamente,
    los instintos innatos.   5

No borraréis jamás del alma humana
el orgullo de raza, el amor patrio,
la vanidad del propio valimiento,
ni el orgullo del ser que se resiste
a perder de su ser un solo átomo.   10

* * *

70*

A LA LUNA

I

¡Con qué pura y serena transparencia
    brilla esta noche la luna!
A imagen de la cándida inocencia,
    no tiene mancha ninguna.

De su pálido rayo la luz pura   5
    como lluvia de oro cae
sobre las largas cintas de verdura
    que la brisa lleva y trae.

Y el mármol de las tumbas ilumina
    con melancólica lumbre,   10

---

* Existe otra versión, muy anterior, de 1867. Aparece en *Almanaque de Galicia,* Lugo, Soto Freire. *Vid.* A. Machado da Rosa, *Subsidios...*, págs. 99-101.

y las corrientes de agua cristalina
que bajan de la alta cumbre.

La lejana llanura, las praderas,
el mar de espuma cubierto
donde nacen las ondas plañideras,
el blanco arenal desierto,   15

La iglesia, el campanario, el viejo muro,
la ría en su curso varia,
todo lo ves desde tu cenit puro,
casta virgen solitaria.   20

II

Todo lo ves, y todos los mortales,
cuantos en el mundo habitan,
en busca del alivio de sus males,
tu blanca luz solicitan.

Unos para consuelo de dolores,   25
otros tras de ensueños de oro,
que con vagos y tibios resplandores
vierte tu rayo incoloro.

Y otros, en fin, para gustar contigo
esas venturas robadas,   30
que huyen del sol, acusador testigo,
pero no de tus miradas.

III

Y yo, celosa como me dio el cielo
y mi destino inconstante,
correr quisiera un misterioso velo   35
sobre tu casto semblante.

Y piensa mi exaltada fantasía
    que sólo yo te contemplo,
y como que es hermosa en demasía
    te doy mi patria por templo.   40

Pues digo con orgullo que en la esfera
    jamás brilló luz alguna
que en su claro fulgor se pareciera
    a nuestra cándida luna.

Mas ¡qué delirio y qué ilusión tan vana   45
    esta que llena mi mente!
De altísimas regiones soberana
    nos miras indiferente.

Y sigues en silencio tu camino
    siempre impasible y serena,   50
dejándome sujeta a mi destino
    como el preso a su cadena.

Y a alumbrar vas un suelo más dichoso
    que nuestro encantado suelo,
aunque no más fecundo y más hermoso,   55
    pues no le hay bajo del cielo.

No hizo Dios cual mi patria otra tan bella
    en luz, perfume y frescura,
sólo que le dio en cambio mala estrella,
    dote de toda hermosura.   60

IV

Dígote, pues, adiós, tú, cuanto amada,
    indiferente y esquiva;
¿qué eres al fin, ¡oh, hermosa!, comparada
    al que es llama ardiente y viva?

---

[37] M.: «y sueña mi...»

Adiós..., adiós, y quiera la fortuna,
      descolorida doncella,
que tierra tan feliz no halles ninguna
      como mi Galicia bella.

Y que al tornar viajera sin reposo
      de nuevo a nuestras regiones,
en donde un tiempo el celta vigoroso
      te envió sus oraciones,

en vez de lutos como un tiempo, veas
      la abundancia en sus hogares,
y que en ciudades, villas y en aldeas
han vuelto los ausentes a sus lares.

                    * * *

71

      «Yo en mi lecho de abrojos,
tú en tu lecho de rosas y de plumas;
verdad dijo el que dijo que un abismo
media entre mi miseria y tu fortuna.
      Mas yo no cambiaría
      por tu lecho mi lecho,
pues rosas hay que manchan y emponzoñan,
y abrojos que a través de su aspereza
      nos conducen al cielo.»

                    * * *

72

Con ese orgullo de la honrada y triste
miseria resignada a sus tormentos,
la virgen pobre su canción entona
en el mísero y lóbrego aposento,

65

70

75

5

---

75 M.: «... villas y aldeas»

y allí otra voz murmura al mismo tiempo: 5

   «Entre plumas y rosas descansemos,
que hallo mejor anticipar los goces
de la gloria en la tierra, y que impaciente
         por mí aguarde el infierno;
el infierno a quien vence el que ha pecado   10
         con su arrepentimiento.
¡Bien hayas tú, la que el placer apuras;
y tú, pobre y ascética, mal hayas!
La vida es breve, el porvenir oscuro,
cierta la muerte, y venturosa aquella   15
que en vez de sueños realidades ama.»

   Ella, triste, de súbito suspira
interrumpiendo su cantar, y bañan,
         frías y silenciosas,
         su semblante las lágrimas.   20

   ¿Quién levantó tal tempestad de llanto
en aquella alma blanca y sin rencores
que aceptaba serena su desdicha,
con fe esperando en los celestes dones?
¡Quién! El perenne instigador oculto   25
de la insidiosa duda; el monstruo informe
que ya es la fiebre del carnal deseo,
ya el montón de oro que al brillar corrompe,
ya de amor puro la fingida imagen:
otra vez el de siempre... ¡Mefistófeles!   30
   Que aunque hoy así no se le llame, acaso
proseguirá sin nombre la batalla,
porque mudan los nombres, mas las cosas
eternas, ni se mudan ni se cambian.

                    * * *

5-6 M.: «Y mientras ella suspira murmura a sus oídos
         otra voz: "No seas tonta;
         entre plumas y rosas descansemos"»
9 M.: «por ti...»
15 En R. este lapsus: «muertes»
30 En R. este lapsus: «Mistófeles»

73

Viéndome perseguido por la alondra
que en su rápido vuelo
arrebatarme quiso en su piquillo
para dar alimento a sus polluelos,

yo, diminuto insecto de alas de oro,   5
refugio hallé en el cáliz de una rosa,
y allí viví dichoso desde el alba
hasta la nueva aurora.

Mas, aunque era tan fresca y perfumada
la rosa, como yo no encontró abrigo   10
contra el viento, que alzándose en el bosque
arrastróla en revuelto torbellino.

Y rodamos los dos en fango envueltos
para ya nunca levantarse ella,
y yo para llorar eternamente   15
mi amor primero y mi ilusión postrera.

* * *

74

De repente los ecos divinos
que en el tiempo se apagaron,
desde lejos de nuevo llamáronle
con el poderoso encanto
que del fondo del sepulcro   5
hizo levantar a Lázaro.

Agitóse al oírlos su alma
y volvió de su sueño letárgico
a la vida, como vuelve

---

2 M.: «... templo...»

a su patria el desterrado   10
que ve al fin los lugares queridos,
mas no a los seres amados.

Alma que has despertado,
vuelve a quedar dormida;
no es que aparece el alba,   15
es que ya muere el día
y te envía en su rayo postrero
la postrimera caricia.

* * *

75

Si al festín de los dioses llegas tarde,
ya del néctar celeste
que rebosó en las ánforas divinas
sólo, alma triste, encontrarás las heces.

Mas aun así de su amargor dulcísimo   5
conservarás tan íntimos recuerdos,
que bastarán a consolar penas
de la vida en el áspero desierto.

* * *

76

La palabra y la idea... Hay un abismo
entre ambas cosas, orador sublime.
Si es que supiste amar, di: cuando amaste,
¿no es verdad, no es verdad que enmudeciste?
Cuando has aborrecido, ¿no has guardado   5
silencioso la hiel de tus rencores

---

7 M.: «que bastarán a consolar tus penas»

en lo más hondo y escondido y negro
que hallar puede en sí un hombre?
   Un beso, una mirada,
suavísimo lenguaje de los cielos;   10
un puñal afilado, un golpe aleve,
expresivo lenguaje del infierno.

 Mas la palabra en vano
cuando el odio o el amor llenan la vida,
al convulsivo labio balbuciente   15
  se agolpa y precipita.
 ¡Qué ha de decir! Desventurada y muda,
de tan hondos, tan íntimos secretos,
la lengua humana, torpe, no traduce
  el velado misterio.   20
 Palpita el corazón enfermo y triste,
languidece el espíritu, he aquí todo;
  después se rompe el frágil
vaso, y la esencia elévase a lo ignoto.

* * *

77

   «Los muertos van de prisa»,
  el poeta lo ha dicho;
van tan de prisa, que sus sombras pálidas
se pierden del olvido en los abismos
con mayor rapidez que la centella   5
se pierde en los espacios infinitos.

 «Los muertos van de prisa»; mas yo creo
¡que aun mucho más de prisa van los vivos!
¡Los vivos!, que con ansia abrasadora,
  cuando apenas vivieron   10
un instante de gloria, un solo día
de júbilo, y mucho antes de haber muerto,
unos a otros sin piedad se entierran
  para heredarse presto.

* * *

78

A sus plantas se agitan los hombres,
    como el salvaje hormiguero
    en cualquier rincón oculto
de un camino olvidado y desierto.
¡Cuál le irritan sus gritos de júbilo,   5
    sus risas y sus acentos,
    gratos como la esperanza,
    como la dicha soberbios!

    Todos alegres se miran,
se tropiezan, y en revuelto   10
torbellino van y vienen
a la luz de un sol espléndido,
del cual tiene que ocultarse,
roto, miserable, hambriento.

    ¡Ah!, si él fuera la nube plomiza   15
    que lleva el rayo en su seno,
apagara la antorcha celeste
    con sus enlutados velos,
y llenara de sombras el mundo
    cual lo están sus pensamientos.   20

    * * *

Era en abril, y de la nieve al peso
aún se doblaron los morados lirios;
era en diciembre, y se agostó la hierba
al sol, como se agosta en el estío.
En verano o en invierno, no lo dudes,   5
    adulto, anciano o niño,
y hierba y flor, son víctimas eternas
de las amargas burlas del destino.
Sucumbe el joven, y, encorvado, enfermo,

sobrevive el anciano; muere el rico   10
que ama la vida, y el mendigo hambriento
que ama la muerte es como eterno vivo.

* * *

80

Prodigando sonrisas
        que aplausos demandaban,
apareció en la escena, alta la frente,
        soberbia la mirada,
y sin ver ni pensar más que en sí misma,   5
entre la turba aduladora y mansa
que la aclamaba sol del universo,
como noche de horror pudo aclamarla,
pasó a mi lado y arrollarme quiso
con su triunfal carroza de oro y nácar.   10
Yo me aparté, y fijando mis pupilas
        en las suyas airadas:
—¡Es la inmodestia! —al conocerla dije,
y sin enojo la volví la espalda.
    Mas tú cree y espera, ¡alma dichosa!,   15
        que al cabo ese es el sino
feliz de los que elige el desengaño
para llevar la palma del martirio.

* * *

81

LAS CAMPANAS

Yo las amo, yo las oigo
cual oigo el rumor del viento,

---

[10] R.: «sobreviene el anciano...»

el murmurar de la fuente
o el balido del cordreo.

Como los pájaros, ellas,   5
tan pronto asoma en los cielos
el primer rayo del alba,
le saludan con sus ecos.

Y en sus notas, que van repitiéndose
por los llanos y los cerros,   10
hay algo de candoroso,
de apacible y de halagüeño.

Si por siempre enmudecieran,
¡qué tristeza en el aire y el cielo!,
¡qué silencio en las iglesias!,   15
¡qué extrañeza entre los muertos!

* * *

82

En la altura los cuervos graznaban,
los deudos gemían en torno del muerto,
y las ondas airadas mezclaban
sus bramidos al triste concierto.

_____

Algo había de irónico y rudo   5
en los ecos de tal sinfonía;
algo negro, fantástico y mudo
que del alma las cuerdas hería.

_____

Bien pronto cesaron los fúnebres cantos,
esparcióse la turba curiosa,   10
acabaron gemidos y llantos

_____
9 M.: «... prolongándose»

y dejaron al muerto en su fosa.

Tan sólo a lo lejos, rasgando la bruma,
del negro estandarte las orlas flotaron,
como flota en el aire la pluma   15
que al ave nocturna los vientos robaron.

* * *

83

Ansia que ardiente crece,
vertiginoso vuelo
tras de algo que nos llama
con murmurar incierto,
sorpresas celestiales,   5
dichas que nos asombran:
así cuando buscamos lo escondido,
así comienzan del amor las horas.

Inaplacable angustia,
hondo dolor del alma,   10
recuerdo que no muere,
deseo que no acaba,
vigilia de la noche,
torpe sueño del día
es lo que queda del placer gustado,   15
es el fruto podrido de la vida.

* * *

---

6 R.: «dichos...»
9 R.: «Inaplicable angustia»
 M.: «Inacabable angustia»
Aceptamos la propuesta de C.: «inaplacable».
16 M.: «es el amargo fruto de la vida»

84

Aunque mi cuerpo se hiela,
me imagino que me quemo;
y es que el hielo algunas veces
hace la impresión del fuego.

* * *

85

A las rubias envidias
porque naciste con color moreno,
y te parecen ellas blancos ángeles
que han bajado del cielo.

¡Ah!, pues no olvides, niña,   5
y ten por cosa cierta,
que mucho más que un ángel siempre pudo
un demonio en la tierra.

* * *

86

De este mundo en la comedia
eterna, vienen y van
bajo un mismo velo envueltas
la mentira y la verdad;
por eso al verlas el hombre   5
tras del mágico cendal
que vela la faz de entrambas,
nunca puede adivinar
con certeza cuál es de ellas
la mentira o la verdad.   10

* * *

---

7 R.: «entrambos»

87

Triste loco de atar el que ama menos
le llama al que ama más;
y terco impenitente, al que no olvida
el que puede olvidar.

Del rico el pobre en su interior maldice,   5
cual si él rico no fuera, si pudiese,
y aquél siente hacia el pobre lo que el blanco
hacia las razas inferiores siente.

* * *

88

Justicia de los hombres, yo te busco,
pero sólo te encuentro
en la *palabra,* que tu nombre aplaude,
mientras te niega tenazmente el *hecho.*

—Y tú, ¿dónde resides? —me pregunto   5
con aflicción—, justicia de los cielos,
cuando el pecado es obra de un instante
y durará la expiación terrible
¡mientras dure el infierno!

* * *

89

Sed de amores tenía, y dejaste
que la apagase en tu boca,
¡piadosa samaritana!,
y te encontraste sin honra,
ignorando que hay labios que secan   5
y que manchan cuanto tocan.

———

¡Lo ignorabas! ..., y ahora lo sabes.
Pero yo sé también, pecadora
     compasiva, porque a veces
     hay compasiones traidoras,   10
     que si el sediento volviese
a implorar misericordia,
     su sed de nuevo apagaras,
     samaritana piadosa.

     No volverá, te lo juro;   15
     desde que una fuente enlodan
con su pico esas aves de paso,
     se van a beber a otra.

* * *

90

Sintiéndose acabar con el estío
     la desahuciada enferma,
     — ¡Moriré en el otoño!
—pensó entre melancólica y contenta,
y sentiré rodar sobre mi tumba   5
     las hojas también muertas.
     Mas... ni aun la muerte complacerla quiso,
     cruel también con ella;
perdonóle la vida en el invierno
y cuando todo renacía en la tierra   10
la mató lentamente, entre los himnos
alegres de la hermosa primavera.

* * *

---

7 R. y M.: «... complacer la quiso»

91

Una cuerda tirante guarda mi seno
que al menor viento lanza siempre un gemido,
mas no repite nunca más que un sonido
monótono, vibrante, profundo y lleno.

Fue ayer y es hoy y siempre: 5
    al abrir mi ventana,
veo en Oriente amanecer la aurora,
después hundirse el sol en lontananza.

Van tantos años de esto,
    que cuando a muerto tocan,   10
yo no sé si es pecado, pero digo:
—¡Qué dichoso es el muerto, o qué dichosa!

* * *

92*

¡No! No ha nacido para amar, sin duda,
ni tampoco ha nacido para odiar
ya que el amor y el odio han lastimado
su corazón de una manera igual.

---

* Tal poema, con notables variantes, figura en la ed. de Murguía en otro lugar: entre los que pertenecen, sólo, a la segunda
edición. Lo transcribimos:

Yo no he nacido para odiar, sin duda;
ni tampoco he nacido para amar
cuando el amor y el odio han lastimado
mi corazón de una manera igual.
Como la peña oculta por el musgo
de algún arroyo solitario al pie
inmóvil y olvidada, yo quisiera
ya vivir sin amar ni aborrecer.

Como la dura roca
de algún arroyo solitario al pie,
inmóvil y olvidado anhelaría
ya vivir sin amar ni aborrecer.

* * *

93

Al caer despeñado en la hondura
    desde la alta cima,
duras rocas quebraron sus huesos,
hirieron sus carnes agudas espinas,
y el torrente de lecho sombrío,   5
    rasgando sus linfas
y entreabriendo los húmedos labios,
vino a darle su beso de muerte
cerrando en los suyos el paso a la vida.

Despertáronle luego, y temblando   10
    de angustia y de miedo,
—¡Ah!, ¿por qué despertar? —preguntóse
    después de haber muerto.

    Al pie de su tumba
con violados y ardientes reflejos,   15
    flotando en la niebla
vio dos ojos brillantes de fuego
que al mirarle ahuyentaban el frío
de la muerte templando su seno.

Y del yermo sin fin de su espíritu   20
ya vuelto a la vida, rompiéndose el hielo,
sintió al cabo brotar en el alma

7-8 M.: «y entreabriendo sus húmedos labios
    con negra sonrisa
    vino a darle un beso de muerte»

la flor de la dicha, que engendra el deseo.
   Dios no quiso que entrase infecunda
en la fértil región de los cielos;   25
piedad tuvo del ánimo triste
que el germen guardaba de goces eternos.

* * *

94

Desde los cuatro puntos cardinales
      de nuestro buen planeta
—joven, pese a sus múltiples arrugas—,
      miles de inteligencias
      poderosas y activas   5
para ensanchar los campos de la ciencia,
tan vastos ya que la razón se pierde
      en sus frondas inmensas,
acuden a la cita que el progreso
les da desde su templo de cien puertas.   10

   Obreros incansables, ¡yo os saludo!,
llena de asombro y de respeto llena,
viendo cómo la Fe que guió un día
hacia el desierto al santo anacoreta,
hoy con la misma venda transparente   15
hasta el umbral de lo imposible os lleva.
   ¡Esperad y creed!, *crea* el que cree,
y ama con doble ardor aquel que espera.

   Pero yo en el rincón más escondido
y también más hermoso de la tierra,   20
      sin esperar a Ulises,
que el nuestro ha naufragado en la tormenta,
      semejante a Penélope
tejo y destejo sin cesar mi tela,
pensando que ésta es del destino humano   25
      la incansable tarea,

y que ahora subiendo, ahora bajando,
unas veces con luz y otras ciegas,
cumplimos nuestros días y llegamos
más tarde o más temprano a la ribera.   30

* * *

95

Aún otra amarga gota en el mar sin orillas
donde lo grande pasa de prisa y lo pequeño
desaparece o se hunde, como piedra arrojada
de las aguas profundas al estancado légamo.

Vicio, pasión, o acaso enfermedad del alma,   5
débil a caer vuelve siempre en la tentación.
Y escribe como escriben las olas en la arena,
el viento en la laguna y en la neblina el sol.

Mas nunca nos asombra que trine o cante el ave,
ni que eterna repita sus murmullos el agua;   10
canta, pues, ¡oh poeta!, canta, que no eres menos
que el ave y el arroyo que armonioso se arrastra.

* * *

96

En incesante encarnizada lucha,
en pugilato eterno,
unos tras otros al palenque vienen
para luchar, seguidos del estruendo
de los aplausos prodigados siempre   5

---

28 M.: «unas veces con luz, otras a ciegas», sin duda mejor
que R.
4 M.: «... del estancado...»
12 M.: «... que en ondas se desata»

de un modo igual a todos.
                              Todos genios
sublimes e inmortales se proclaman
        sin rubor; mas bien pronto
al ruido de la efímera victoria
        se sucede el silencio   10
sepulcral del olvido, y juntos todos,
los grandes, los medianos, los pequeños,
cual en tumba común, perdidos quedan
sin que nadie se acuerde que existieron.

* * *

97

Glorias hay que deslumbran, cual deslumbra
el vivo resplandor de los relámpagos,
y que como él se apagan en la sombra,
sin dejar de su luz huella ni rastro.

Yo prefiero a ese brillo de un instante,   5
la triste soledad donde batallo,
y donde nunca a perturbar mi espíritu
llega el vano rumor de los aplausos.

* * *

98

¡Oh, gloria! , deidad vana cual todas las deidades,
que en el orgullo humano tienen altar y asiento,
jamás te rendí culto, jamás mi frente altiva
se inclinó de tu trono ante el dosel soberbio.

8-9 M.: «... presto». ¿Corrección de M. por exigencias de rima?
C. sigue a M.
5 M.: «... de ese brillo...»

En el dintel oscuro de mi pobre morada 5
no espero que detengas el breve alado pie;
porque jamás mi alma te persiguió en sus sueños,
ni de tu amor voluble quiso gustar la miel.

¡Cuántos te han alcanzado que no te merecían,
y cuántos cuyo nombre debiste hacer eterno, 10
en brazos del olvido más triste y más profundo
perdidos para siempre duermen el postrer sueño!

APÉNDICE I

Dos versiones de los poemas 3 («Era apacible el día») y 70 («A la luna»)

NOTA.—El poema 3, de fecha incierta, fue publicado por J. Naya Pérez en *Inéditos de Rosalía* (1953). El 70, aparecido en *Almanaque de Galicia* (Lugo, Soto Freire, 1867), fue exhumado por A. Machado da Rosa en *Cuadernos de Estudios Gallegos,* número 36, 1957. A él se debe, también, el cotejo de las dos versiones, que aquí se reproducen.

1867

¡Con qué pura y serena transparencia
    Brilla esta noche la luna!
Remedo de la cándida inocencia
    No tiene mancha ninguna.

De su pálido rayo la luz pura
    Como lluvia de oro cae
Sobre las largas cintas de verdura
    Que el viento lleva y trae.

Y el mármol de las tumbas ilumina
    Con melancólica lumbre;
Y la corriente de agua cristalina
    Que baja de la alta cumbre.

La lejana llanura, las praderas,
    El mar de espuma cubierto,
Donde mueren las ondas plañideras,
    El blanco arenal desierto.

La iglesia, el campanario, el viejo muro
    La ría, en su curso, varia:
Todo lo ves, desde ese cenit puro,
    Casta virgen solitaria.

Todo lo ves, y vente a la vez todos
    Cuantos en la tierra habitan,
Y amándote a la par, de varios modos,
    Tu blanca luz solicitan.

Unos para consuelo de sus penas,
    Otros para sueños de oro
Que tus miradas de esperanza llenas
    Vierten con rayo incoloro.

Y otros, en fin, para gozar contigo
    Ilusiones de la vida,
Que ahuyenta el sol, de sombras enemigo,
    Y a las que tu luz convida.

1884

¡Con qué pura y serena transparencia
        brilla esta noche la luna!
A *imagen* de la cándida inocencia
        no tiene mancha ninguna.

De su pálido rayo la luz pura
        como lluvia de oro cae
sobre las largas cintas de verdura
        que *la brisa* lleva y trae;

Y el mármol de las tumbas ilumina
        con melancólica lumbre;
y *las corrientes* de agua cristalina
        que *bajan* de la alta cumbre.

La lejana llanura, las praderas,
        el mar de espuma cubierto,
donde *nacen* las ondas plañideras,
        el blanco arenal desierto.

La iglesia, el campanario, el viejo muro,
        la ría en su curso varia,
todo lo ves desde *tu* cenit puro,
        casta virgen solitaria.

II

Todo lo ves; y *todos los mortales*
        cuantos en el *mundo* habitan,
en busca del alivio de sus males,
        tu blanca luz solicitan:

unos, para consuelo de *dolores*;
        otros, *tras de ensueños* de oro,
que *con vagos y tibios resplandores*
        vierte tu rayo incoloro;

y otros, en fin, para *gustar* contigo
        esas venturas robadas
que *huyen del sol, acusador testigo,*
        pero no de tus miradas.

Y yo, celosa que me dio el cielo
    Y mi destino inconstante,
Quisiera, loca, convertirme en velo
    Que cubriese tu semblante.

Sueña a veces mi loca fantasía
    Que sola te contemplo;
Otras, como es hermosa en demasía,
    Dóyte mi patria por templo.

Y digo, pretenciosa, que en la esfera
    Jamás brilló luna alguna
Que en su fulgor se pareciera
    A *nuestra* cándida luna.

¡Qué delirar... y qué ilusión tan vana
    Esta que ocupa mi mente!
De altísimas regiones soberana
    Nos miras indiferente.

Y sigues silenciosa tu carrera
    Sobre el abismo del mundo,
En donde con mi amor y mi quimera,
    Pobre artista, me confundo.

Y allá... otra tierra alumbras más dichosa
    Que la dulce tierra mía;
Más feliz, es verdad: no más hermosa,
    Pues nadie la encontraría.

Que hizo Dios solamente una tan bella,
    En luz, perfume y frescura,
Sólo que le dio en cambio mala estrella,
    Dote de toda hermosura.

Dígote, pues ¡Adiós! tu, cuanto amada.
    indiferente y esquiva.
¿Qué eres al fin, si hermosa, comparada
    al que es llama ardiente y viva?

Y yo, celosa, *como* me dio el cielo
    y mi destino inconstante,
correr quisiera un misterioso velo
    sobre tu casto semblante.

Y sueña. mi *exaltada* fantasía
    que *sólo yo* te contemplo,
y como que es hermosa en demasía,
    te doy mi patria por templo;

pues digo *con orgullo* que en la esfera
    jamás brilló *luz* alguna
que en su *claro* fulgor se pareciera
    a nuestra cándida luna;

mas ¡qué delirio y qué ilusión tan vana
    esta que *llena* mi mente! ...
De altísimas regiones soberana
    nos miras indiferente.

Y sigues *en silencio tu camino,*
    siempre impasible y serena,
dejándose sujeta a mi destino
    como el preso a su cadena.

Y a alumbrar vas un suelo más dichoso
    que nuestro encantado suelo,
aunque no más fecundo y más hermoso,
    pues *no le hay bajo del cielo.*

No hizo Dios cual mi patria otra tan bella
    en luz, perfume y frescura;
Sólo que le dio, en cambio, mala estrella,
    dote de toda hermosura.

IV

Dígote, pues, adiós, tú, cuanto amada,
    indiferente y esquiva.
¿Qué eres, al fin, *oh* hermosa, comparada
    al que es llama ardiente y viva?

¡Adiós! luna, ¡ay! ¡Adiós! ya el tiempo ha huido
    de soñar a tus fulgores,
Con aquel sueño, para mí perdido
    Entre mezquinos rumores.

¡Adiós! ¡Adiós!, y quiera la fortuna,
    Descolorida doncella,
Que tan pura y feliz no halles ninguna
    Como mi Galicia bella.

Y que al tornar viajera de otros cielos
    A este cielo cariñoso,
    Ya no alumbres pesares y desvelos
    Que turban nuestro reposo.

Sino descanso y santas alegrías
    Sin vaivanes ni mudanzas,
Pues tales son las ilusiones mías...
    Y ¡ay! ¡¡quizá sólo esperanzas!!

(Suprimida.)

Adiós…, adiós, y quiera la fortuna,
    descolorida doncella,
que *tierra tan feliz* no halles ninguna
    como mi Galicia bella;

y que al tornar, viajera, sin reposo,
    de nuevo a nuestras regiones,
en donde un día el celta vigoroso
    te envió sus oraciones,

en vez de lutos como un tiempo, vea
    la abundancia en sus hogares,
y que en ciudades, villas y aldeas,
    han vuelto los ausentes a sus lares.

¿ ?

¡Tierra! sobre el cadáver,
Antes que empiece a corromperse, ¡tierra!
Ya el hoyo se ha cubierto... consolaos,
Pronto ahora en la escoria removida,
Verde y pujante crecerá la hierba.
¿Mas dónde está el que se fue? ¿Sabéis acaso
Qué ha sido de él? ¡Ah, necios!
No os ocupéis de lo que al polvo vuelve;
¿Qué importan los cadáveres, qué importan
Cuando algo más que la materia ha muerto?

No, no es posible que todo
Todo haya acabado ya:
No acaba lo que es eterno
No puede tener fin la inmensidad.

Algo ha quedado tuyo en mis entrañas
Que no se morirá jamás
Y que Dios, porque es justo y porque es bueno
A desunir ya nunca volverá.

Tú te fuiste para siempre, mas mi alma
Te espera aún con cariñoso afán
Y vendrás o iré yo, bien de mi vida,

1884

Era apacible el día
y templado el ambiente,
y llovía, llovía
callada y mansamente;
y mientras silenciosa   5
lloraba yo y gemía,
mi niño, tierna rosa,
durmiendo se moría.

Al huir de este mundo, ¡qué sosiego en su frente!
Al verle yo alejarse, ¡qué borrasca en la mía!   10

Tierra sobre el cadáver insepulto
antes que empiece a corromperse..., ¡tierra!
Ya el hoyo se ha cubierto, sosegaos;
bien pronto en los terrones removidos
verde y pujante crecerá la hierba.   15

¿Qué andáis buscando en torno de las tumbas,
torvo el mirar, nublado el pensamiento?
¡No os ocupéis de lo que al polvo vuelve!
Jamás el que descansa en el sepulcro
ha de tornar a amaros ni a ofenderos.   20

Allí donde nos hemos de encontrar.

En la tierra, en el cielo, en lo insondable
Yo te hallaré y me hallarás...
No acaba lo que es eterno
No puede tener fin la inmensidad.

¡Jamás! ¿Es verdad que todo
para siempre acabó ya?
No, no puede acabar lo que es eterno,
ni puede tener fin la inmensidad.

Tú te fuiste por siempre; mas mi alma   25
te espera aún con amoroso afán,
y vendrás o iré yo, bien de mi vida,
allí donde nos hemos de encontrar.

Algo ha quedado tuyo en mis entrañas
que no morirá jamás,
y que Dios, porque es justo y porque es bueno,
a desunir ya nunca volverá.

En el cielo, en la tierra, en lo insondable
yo te hallaré y me hallarás.
No, no puede acabar lo que es eterno,   35
ni puede tener fin la inmensidad.

Mas... es verdad, ha partido
para nunca más tornar.
Nada hay eterno para el hombre, huésped
de un día en este mundo terrenal   40
en donde nace, vive y al fin muere,
cual todo nace, vive y muere acá.

Apéndice II

Poemas de la 2.ª edición (1909)

I

I

«Tú para mí, yo para ti, bien mío»
      —murmurabais los dos—.
«Es el amor la esencia de la vida,
      no hay vida sin amor.»

¡Qué tiempo aquel de alegres armonías!...   5
      ¡Qué albos rayos de sol!...
¡Qué tibias noches de susurros llenas,
      qué horas de bendición!

¡Qué aroma, qué perfume, qué belleza
      en cuanto Dios crió,   10
y cómo entre sonrisas murmurabais:
      «No hay vida sin amor»!

II

Después, cual lampo fugitivo y leve,
      como soplo veloz,
pasó el amor... la ciencia de la vida...;   15
      mas... aún vivís los dos.

«Tú de otro, y de otra yo», dijisteis luego.
      ¡Oh mundo engañador!
Ya no hubo noches de serena calma,
      brilló enturbiado el sol...   20

NOTA.—Hemos optado, para estos poemas, por la numeración romana. Continuar la arábiga sería concederles una ciudadanía que no merecen. En efecto (*vid.* nuestro estudio), tales composiciones, que pertenecen a Rosalía, nuestra autora no las tuvo en cuenta, por lo que fuese, para incluirlas en el libro *En las orillas del Sar.*
Carece de número en nuestra edición el primer poema, para señalar, de algún modo, que no es de este grupo. El lector recordará que en la edición de Murguía (1909), tantas veces mencionada, aparece, ¡asombrosamente!, con carácter prologal. Señalemos, respecto de la ed. de Castalia, un lapsus tipográfico: se omite el verso 8.
15 Ediciones posteriores ofrecen «esencia» por «ciencia». M. consigna al final del poema: 1867.

185

¿Y aún, vieja encina, resististe? ¿Aún late,
    mujer, tu corazón?
No es tiempo ya de delirar; no torna
    lo que por siempre huyó.

No sueñes, ¡ay!, pues que llegó el invierno   25
    frío y desolador.
Huella la nieve, valerosa, y cante
    enérgica tu voz.
¡Amor, llama inmortal, rey de la Tierra,
    ya para siempre ¡adiós!   30

* * *

II

I

Tiemblan las hojas, y mi alma tiembla,
    pasó el verano...;
y para el pobre corazón mío,
unos tras otros, ¡pasaron tantos!...

Cuando en las noches tristes y largas   5
    que están llegando
brille la luna, ¡cuántos sepulcros
que antes no ha visto verá a su paso!

Cuando entre nubes hasta mi lecho
    llegue su rayo,   10
¡cuán tristemente los yermos fríos
de mi alma sola, no irá alumbrando!

II

¡Pobre alma sola!, no te entristezcas
deja que pasen, deja que lleguen
la primavera y el triste otoño   15
ora el estío y ora las nieves;

que no tan sólo para ti corren
    horas y meses:

todo contigo, seres y mundos,
de prisa marchan, todo envejece;   20

que hoy, mañana, antes y ahora,
        lo mismo siempre,
hombres y frutos, plantas y flores,
vienen y vanse, nacen y mueren.

Cuando te apene lo que atrás dejas,   25
        recuerda siempre
que es más dichoso quien de la vida
mayor espacio corrido tiene.

* * *

III

No va solo el que llora.
No os sequéis, ¡por piedad!, lágrimas mías;
        basta un pesar del alma;
jamás, jamás le bastará una dicha.

Juguete del destino, arista humilde.   5
        rodé triste y perdida;
pero conmigo lo llevaba todo:
llevaba mi dolor por compañía.

* * *

IV

« ¡La copa es de oro fino,
el néctar que contiene es de los cielos!»,
        dijo, y bebió con ansia
hasta el último sorbo de veneno.

¡Era tarde! Después ardió su sangre   5
        emponzoñada; y muerto,
aún rojiza brillaba en su sepulcro
la llama inextinguible del deseo.

* * *

V*

¡Ea!, ¡aprisa subamos de la vida
la cada vez más empinada cuesta!
Empújame, dolor, y hálleme luego
en su cima fantástica y desierta.

No, ni amante ni amigo   5
allí podrá seguirme;
¡avancemos!... ¡Yo ansío de la muerte
la soledad terrible!

Mas ¿para qué subir? Fatiga inútil
¡cuando es la vida fatigosa llama,   10
y podemos, ¡poder desventurado!,
con un soplo levísimo apagarla!

Ruge a mis pies el mar, ¡soberbia tumba!
La onda encrespada estréllase imponente
contra la roca, y triste muere el día   15
como en el hombre la esperanza muere.

¡Morir! Esto es lo cierto,
y todo lo demás mentira y humo...
Y del abismo inmenso,
un cuerpo sepultóse en lo profundo.   20

Lo que encontró después posible y cierto
el suicida infeliz, ¿quién lo adivina?
¡Dichoso aquel que espera
tras de esta vida hallarse en mejor vida!

* * *

---

* Después de este poema M. publica «Yo no he nacido para
odiar, sin duda». *Vid.* nota al poema 92, donde, además, figura el
texto de esta composición.

VII*

Cayendo van los bravos combatientes
y más se aclaran cada vez las filas.
        No lloréis, sin embargo;
en el vacío que los muertos dejan,
otros vendrán a proseguir la liza.   5

    ¡Vendrán!... Mas presto del vampiro odioso
        destruid las guaridas,
si no queréis que los guerreros vuelvan
tristes y obscuros a morir sin gloria
antes de ver la patria redimida.   10

* * *

VIII

Viendo que, semejantes a las flores
que el huracán en su furor deshace,
        estos, después de aquellos,
llenos de vida y de esperanza caen
    al entrar en la lid donde con gloria   5
        por la patria combaten;

tal como el pobre abuelo que contempla
del nietezuelo amado los despojos,
exclamó, alzando la mirada al cielo,
de angustia lleno y doloroso asombro: 10
—¡Pero es verdad, Dios mío, que ellos mueren
    y quedamos nosotros!

                            En la *Corona fúnebre*
                            de Andrés Muruais. 1883.

* * *

---

* No hay error en la numeración: VI correspondería al poema
de que se habla en la nota anterior.

IX

Más rápidos que el rayo,
    más alados que el viento,
inquietos vagabundos que no pueden
refrenar nunca el inconstante vuelo,
así descienden de la mar al fondo   5
como escalan la altura de los cielos.

Mas, si son impalpables e incorpóreos
    y múltiples y varios,
¿por qué llamarlos pensamientos negros,
    o pensamientos blancos,   10
si no tienen color, esos del alma
eternos e invisibles soberanos?

* * *

X

Hora tras hora, día tras día,
entre el cielo y la tierra que quedan
    eternos vigías,
como torrente que se despeña
    pasa la vida.   5

Devolvedle a la flor su perfume
    después de marchita;
de las ondas que besan la playa
y que unas tras otras besándola expiran
recoged los rumores, las quejas,   10
y en planchas de bronce grabad su armonía.

Tiempos que fueron, llantos y risas,
negros tormentos, dulces mentiras,
¡ay!, ¿en dónde su rastro dejaron,
en dónde, alma mía?   15

* * *

---

[9] En ediciones posteriores, «una tras otra».

XI

Tan sólo dudas y terrores siento,
divino Cristo, si de Ti me aparto;
mas cuando hacia la Cruz vuelvo los ojos,
me resigno a seguir con mi calvario.
Y alzando al cielo la mirada ansiosa
busco a tu Padre en el espacio inmenso,
como el piloto en la tormenta busca
la luz del faro que le guíe al puerto.

5

Índice de títulos y primeros versos

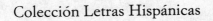

Colección Letras Hispánicas

DE PRÓXIMA APARICIÓN